青春文庫

そこを教えてほしかった
理系の雑学

おもしろサイエンス学会[編]

青春出版社

はじめに

自信をもって「理系」の話が語れるようになる本！

そもそも数字が苦手で、理系の話となるとサッパリ…という人は少なくない。新しいテクノロジーやAIと聞くだけで敬遠する根っからの〝文系〟の人もいる。

とはいえ、いまの時代、「文系」「理系」と単純に割り切れない横断的な話題も増えている。苦手なままでは、もったいない！　というわけで誕生したのが本書である。

この本では、私たちの日々の暮らしに大きく関わる「理系」の話を、極限までわかりやすくていねいに紹介した。

宇宙や地球の話題をはじめ、テクノロジー、脳、人体、動・植物から、衣食住の科学まで、理系をめぐる大疑問にスッキリこたえた一冊だ。

たとえば「どこでもドア」がつくれない理由とは？「手に汗握る」「面の皮が厚い」の科学的な根拠とは？　注射は痛いのに蚊に刺されても痛くないワケは？

まずは、本書のページをめくってみてほしい。「そこを教えてほしかった！」と感じてもらえると確信している。

２０２１年４月

おもしろサイエンス学会

そこを教えてほしかった理系の雑学◆目次

1 「理系のニュース」は、ここが一番おもしろい……13

3 「新発明」「新発見」の裏にそういうドラマがあったんだ！……49

4　「宇宙」と「地球」を楽しむには、この知識が必要だ！……75

5　ついその先が聞きたくなる「脳」と「からだ」の話とは？……95

6 「身のまわり」のことを〝理系感覚〟で調べてみよう……121

カバー・本文イラスト■Adobe Stock
DTP■フジマックオフィス

1

「理系のニュース」は、ここが一番おもしろい

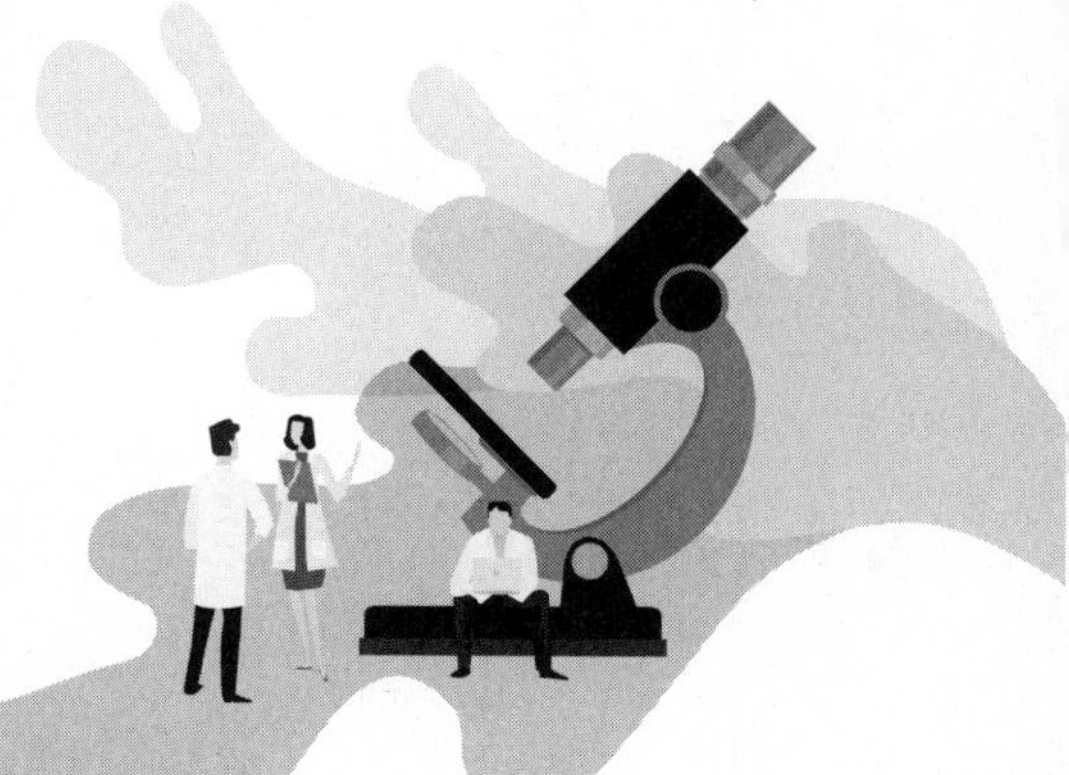

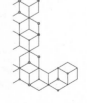

植物の未来が託された「ノアの方舟」計画とは？

神に命じられたノアが、世界中の動物たちのつがいを一組ずつ乗せて大洪水から逃れたとされる「ノアの方舟」の伝説は、『旧約聖書』に書かれた話の中でも最も有名なものだ。

じつは、それとまったく同じ発想でつくられた「植物版・ノアの方舟」があるのをご存知だろうか。

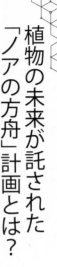

場所は、ノルウェー領スヴァールバル諸島にあるスピッツベルゲン島だ。２００8年にここに建設されたスヴァールバル・グローバル・シード・ボルトは、もしも世界滅亡のような危機が訪れても、地球上の植物が根絶しないようにとつくられた、いわば「種子銀行」である。

永久凍土層に築かれた地下の貯蔵庫は、つねにマイナス18～20度に保たれ、数多くの植物の種子が保存されている。この施設がつくられた当初は約30万種類だったが、２０１８年には約１００万種類まで増えた。

もしも何らかの理由で絶滅した植物があれば、ここに保存されている種子を利用して再び栽培することができるようになっている。

近年、森林伐採や砂漠化、地球温暖化など、環境破壊は世界中で進んでおり、その速度は早まっているといわれる。

そんななかで、絶滅の危機にある植物も少なくない。一説では現在、地球上では1年間で約1万種類の動植物が絶滅しているともいわれる。この植物版ノアの方舟が、いずれは存在価値を発揮するときがくるかもしれないのだ。

3Dプリンターで、人間の心臓をつくり出す研究が進んでいる!?

３Dプリンターといえば、どんなものでも設計図どおりの立体モデルを生み出してくれる魔法の装置のようなイメージがある。今や家庭用のものまで発売されており、身近なものになった。

スライスされた2次元の層を一枚ずつ積み重ねていくことで立体的に造形していくという原理だが、液状の樹脂を紫外線で硬化させていくものや、熱で溶かした樹脂を重ねていく方式のものなど、最近では種類も増えている。

ところで、2019年にイスラエルで、この3Dプリンターで驚くべきものの製造に成功したというニュースが流れた。

それは、人間の心臓である。血管も組織もきちんと備わっており、概念としては人間の心臓と同じ機能をもたせることができるというのだ。

ただし、まだ実験段階であり、大きさはウサギの心臓ほどでしかない。また、ポンプのような動きをして血液を体中に送り出すようになるまでには、まだまだ研究が必要だという。

しかし、心臓に疾患のある末期の心不全患者の治療といえば、現在では心臓移植以外には方法がない。

3Dプリンターでつくられた心臓が本当に人体の中で機能すれば、医学界にとって革命的なできごととなるだろう。

今後この研究がどう進んでいくか、世界中の期待と注目を集めている。

天敵から巣を守るため、ミツバチが使う最終兵器とは？

蜜がある方向を仲間に伝える〝8の字ダンス〟や、一匹のスズメバチを複数で取り囲んで熱で殺してしまうなど、不思議な行動がいろいろと伝えられているミツバチだが、2020年にまたひとつ興味深い生態が発表された。

アジアに生息するトウヨウミツバチという種の強敵は、言わずと知れたスズメバチである。彼らがスズメバチに巣を襲われたらひとたまりもないのは、周知の事実だ。

このトウヨウミツバチの4倍もの大きさのスズメバチは、巣穴を切り裂いて侵入して幼虫を奪い、それを自分の巣に持ち帰って子どもの餌にする。トウヨウミツバチにとってはまさに天敵を通り越して悪魔のような存在だ。

そこで彼らは、あるものを使って撃退する方法をとっている。水牛などのふんを集めて、それを巣に塗りつけるのだ。

それによってスズメバチに襲われるのを防いでいるのだが、動物のふんの成分のうち、何が効果的なのかはまだはっきりとはわかっていない。

何らかの成分がスズメバチの苦手なものではないかと考えられているが、結論はまだ出ていない。

じつは、捕食者から身を守るために、ふんを利用する動物や昆虫はほかにもいる。けっして珍しい生態ではないが、しかしその具体的な効果については今後の研究の成果を待たなければならない。

「人間とバナナのDNAは半分同じ」って、どういうこと？

人間とサルは生物学的に近い。実際、人間とサルは、99パーセント同じDNAを所有していることがわかっている。

では、人間とバナナのDNAは50パーセントが共通しているといわれたらどうだろうか。

人間とバナナの両方の特徴を持った〝バナナ人間〟を思い浮かべる人もいるかもしれないが、多くの人が「まさか」と驚くだろう。

しかし、これは事実なのだ。ヒトは30億ものDNAを持っている。そのうちの半分といえば、15億である。つまり30億のDNAのうち、15億ものDNAがあのバナナと同じなのである。

といっても、DNAに書き込まれているのは、生命にとっての基本的な情報である。

たとえば細胞がどんな構造をしていて、それがどのようにコントロールされているのかといった基本的な情報は、すべての動植物に共通している。それが全DNAの半分に書き込まれているのだ。

つまり、人間とバナナが共通なのは、その部分である。そして残りの半分にそれぞれ「人間的な情報」と「バナナ的な情報」が書き込まれているのだ。

ちなみに、人間とネズミのＤＮＡは97パーセントが共通し、同じようにブタは80パーセントが共通である。そう考えると、あらゆる動植物に今まで以上に親近感が湧くのではないだろうか。

地球では毎年１万種の新しい生物が発見されている⁉

「新種発見！」……そんなニュースを目にすることがある。地球上にはまだ知られていない生物が数多く生きている。当たり前のことだが、それらの生物は人間に知られていようがいまいが関係なく、自分たちの種を増やしていくことで、繁栄しているのである。

そもそも地球上には何種類くらいの生物が生きているのだろうか。もちろん正確に数えることは不可能だが、おそらく８７０万種類くらいだといわれている。その内訳は、動物が約７７７万種、植物が約30万種、そのほかが菌類や原生動物ということになる。

ただし、人類が発見して学術的に分類した生物は、動物が約95万種、植物が約22万種に過ぎない。すべての生物の9割近くはまだ発見されていないのだ。つまり、人類はまだ地球の生物のごくわずかしか知らないことになる。

逆にいえば、「新種発見」のニュースのたびに、人間はこの星に関する知識を少しだけ増やしたことになるのである。

では、新種の生物は1年間でどれくらい発見されるのだろうか。正確な数を把握するのはむずかしいが、一説では毎年1万種前後の新種の生物が発見されているといわれる。

過去には、1年間で2万種もの新種の昆虫が発見された年もある。意外と多い気もするが、しかし人類がすべての生物と出会うまでには、まだかなりの時間がかかりそうである。

そして、その一方で、絶滅の危機にある生物をまとめたレッドリストには、2019年現在で、3万1178種もの生物がいることも忘れてはならない。

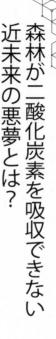

森林が二酸化炭素を吸収できない近未来の悪夢とは？

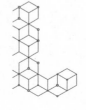

地球温暖化の大きな原因は、いうまでもなく人類の生活によって排出される二酸化炭素だ。これを含む温室効果ガスが大気中に放出されていることで、地球全体の平均気温は上昇しっぱなしになる。

その解消に大きな役割を担っているのが森林で、地球上の二酸化炭素のうちの約30パーセントを吸収しているといわれる。

ところが最新の研究では、このまま温暖化が進むと、その救世主であるはずの森林が、今度は二酸化炭素を排出する側にまわってしまう恐れがあるという。

そもそも植物は、太陽光を利用して葉から吸収した二酸化炭素と土から取り込む水分で光合成を行い、生成された酸素を大気中に放出する。だが、それと同時にエネルギーを細胞に供給するときに呼吸もするため、じつは二酸化炭素も放出している。

アメリカのある研究チームによれば、地球全体の光合成の能力は一定の気温でピークを迎え、さらに高温になると低下してくる。ところが、呼吸量は気温の上昇とともに増加し、さらに上限がないことがわかったというのだ。

これが何を意味するかというと、このまま地球の平均気温が上がり続けると、植物が光合成する力はしだいに減少し、二酸化炭素の吸収量も低下する。

だが、同時に行われる呼吸の量はとどまることを知らずに増加するため、そのうち森林は二酸化炭素を吸収するのではなく、排出する側に転じてしまうということなのである。

植物によってピークアウトする時期は異なるものの、呼吸量の上昇はすべての植物にあてはまるというから、そうなれば森林全体が大きな二酸化炭素排出の源になってしまうのだ。

同研究チームの読みでは、その目安は2050年頃といい、そう遠い未来の話でもない。地球規模の課題に各国の足並みはなかなか揃わないが、もはやそんなのんびりしたことを言っている場合ではないということなのだ。

体に触れない「非接触型体温計」はどんなしくみ？

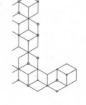

病院などの医療機関をはじめ、ショッピングモール、映画館、学校や公共施設などでも、入り口に設置された非接触型体温計による体温計測が当たり前の光景になった。

体温計にはいくつかの種類があり、そのしくみもそれぞれ違っている。昔ながらの水銀体温計や電子体温計は、多くの場合、わきの下に挟んで数分経つと体温が測定できる。

ところが、スマートフォン型や人体にかざして測るタイプは、ものの数秒で計測が終わってしまう。じつは、非接触型体温計が計測しているのは、人体から発せられている赤外線量なのである。

体温計で体温を測るといっても、そのタイプによって時間も結果の正確さも異なる。厳密にいえば、実際の温度を測っているのは水銀体温計だけなのだ。

体温計をわきに挟むと、水銀が温められて温度表示が上がっていく。上昇速度は水銀と体温の温度差に反比例するので、温度が上がるほどゆっくり上昇し、同じ温度になると止まる。5分ほど計測にかかるが、体温を実測しているという点ではかなり正確だ。

一方の電子体温計は製品によって測定時間に幅があるが、たとえば20秒で測れるものだとしたら、その時点までの温度変化から体温の上昇を予測して算出しているのだ。

非接触型体温計の場合は、人体から出る赤外線の量を体温に換算して測定している。赤外線は温度が高くなるほど強くなる性質を持っており、これを体温測定に利用しているのだ。ニュース映像などで見るサーモグラフィ画像をイメージするとわかりやすいだろう。

気温や測定環境などの影響を受けやすいために必ずしも正確とはいえないが、大人数を短時間でざっくり計測するためには大いに役立つ技術なのである。

たった10分の運動で、人間の記憶力がアップするカラクリは？

記憶力をアップできれば、もっと仕事ができるようになり、しかも生活がしやすくなる。多くの人がそう考えているだろう。しかし体を鍛えるのとは違い、記憶力を鍛えてアップさせることなどそう簡単にできるものではない。

ところが近年、ウォーキングなど10分くらいの手軽な運動をすることで人間の記憶力が上昇するという研究結果が発表されて注目を集めている。

人間の記憶のしかたにはいくつか種類がある。おおまかにいって英単語や数字などを記憶するのは「短期記憶」、一方で、体験したことやエピソードなどは「長期記憶」と分類されるが、驚いたことに10分ほどの軽い運動をすることで、そういった記憶力が向上することが実験的に確認されたのだ。

人間の記憶を司っているのは、脳の「海馬」という部分である。軽い運動をすることによってこの海馬周辺の活動が活発になり、情報伝達が盛んになるのだと考えられる。

ここで重要なのは、ストレスがかかるような激しい運動では効果がないということである。あくまでもストレスのない、軽い運動がいいのだという。

何か覚えることの多い仕事をするときは、その10分ほど前に散歩など軽い運動をしておけば、能率よく仕事がはかどるかもしれないのだ。

「細菌」と「ウイルス」の違いをズバリ言うと？

感染症の予防のためとして、「抗菌」や「除菌」というフレーズがすっかり市民権を得ているが、これはあくまでも「細菌」に対する効果で、ウイルスに対するものではないということを認識している人はどれだけいるだろうか。

細菌とウイルスは、まったく違う性質を持つものだ。なによりウイルスは生命体ではない。

生命体と認められるには

①ＤＮＡやＲＮＡなどの核酸を持ち、自己複製ができる。

②代謝、呼吸などによりエネルギーを得ることができる。

③細胞構造を持っている。

といった条件がある。

細菌は、細胞核を持たない原核細胞でできている原核生物で、単細胞の生命体だ。人間などの真核生物の体は真核細胞でできており、細胞内の核酸は核膜の中に収められているが、原核細胞の場合は細胞の中にむき出しで存在している。

夏場に食べ物が腐敗するのは、そこで細菌がエネルギーを得て繁殖しているからで、栄養を代謝することができているのがわかる。

一方、ウイルスが満たしているのは①のみで、自分でエネルギーを得ることもできないし、細胞膜を持っていないために細胞構造もない。

ウイルスの構造は、タンパク質の小さなカプセルの中にＤＮＡやＲＮＡが入っているだけのシンプルなものだ。一部のウイルスはさらにその外側にエンベロープと呼ばれる脂質の膜を持っている。

自分でエネルギーを得られないウイルスは、宿主となる生物を見つけてその細胞の中に寄生する。宿主の細胞の中で自分の核酸をコピーさせて増殖を繰り返していくのだ。

このため、ウイルスは微生物というカテゴリーに入れられているものの、生命体ではないという考え方が一般的だ。

生命体と非生命体では当然対処の方法が違う。細菌に対しては、その細胞構造を壊すことでダメージを与えることができるため、治療薬は比較的簡単につくることができる。

一方、ウイルスの場合はもともとシンプルな構造をしているために弱点が見つけにくく、寄生している生物の細胞を傷つけずに壊すことがむずかしい。もともと命を持たないものを殺すのは一筋縄ではいかないのである。

手指や日用品の消毒に使われる薬品に関しても、抗菌や殺菌と謳っているものが必ずしもウイルスに効果があるわけではない。

たとえば、アルコール系の製品はエンベロープを持つウイルスには効果があるが、ノロウイルスなどに代表されるノンエンベロープウイルスには効果がない。
「抗菌」と見ると、つい手が伸びてしまうかもしれないが、何のために使いたいのかをしっかり見極めないと元も子もない。

世界最高峰エベレスト誕生までの壮大なドラマとは？

世界の最高峰といえば、エベレスト山だということはよく知られている。その高さは８８４８メートルだ。これは、１９５４年に計測されて発表された公式な数字である。

ところが、２０１５年にエベレスト山のある地域をマグニチュード７・８の大地震が襲った。そのときには数センチも高くなったと考えられている。

ちなみに、１９３４年にはもっと大きな地震が起こっており、そのときは約60センチ低くなったといわれた。

エベレストに限らず、このように大きな地震や地殻の変動による山の標高の変化は珍しいことではないのだ。

とくにエベレストの標高は、毎年0・5センチメートルずつ高くなっているといわれる。それはエベレストを含むヒマラヤ山脈がどのようにしてつくられたかに関係がある。

ヒマラヤ山脈ができたのは、約5000万年前に起こった大陸同士の衝突が原因だと考えられている。

かつて、赤道よりもさらに南にインド亜大陸という巨大な大陸があった。それがプレートの移動によって北上してユーラシア大陸に衝突し、ユーラシア大陸がそのまま押し上げられてできたのがヒマラヤ山脈である。

衝突して押し上げられる前のエベレスト一帯は海底だった。だから今でもエベレストでは、アンモナイトなどの貝の化石が発見されるのだ。

ヒマラヤ山脈を生み出したプレートの移動は現在も続いている。その動きがエベレストを1年間に0・5センチメートルずつ押し上げているのだ。

その後、1999年に米国の全米地理学協会がGPS（全地球測位システム）で調べた結果、エベレストの高さは8850メートルだと発表したという。

そして2019年にあらためて計測が行われ、2020年になって8848・86メートルという数値が発表された。これが最新の計測結果である。

近頃、「スーパー台風」が増えている裏に何がある？

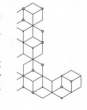

ここ数年、かなり大型の台風が日本に何度も到来している。多くの人たちが、昔に比べて台風が強力になっていると感じているのではないだろうか。

メディアなどでは「スーパー台風」という呼び方もされているが、じつはこの名称はアメリカで言われ始めたもので、中心付近の最大風速が1分間の平均で秒速67メートルというかなりの破壊力を持つ台風のことをさす。

日本はもちろんのこと、フィリピンや台湾などもこういった超大型の強力台風に直撃されて大きな被害を出しているのはご存知のとおりだ。

なぜこのような大型の台風が増えたのか、その理由はいろいろあるが、そのひとつは地球温暖化だ。

地球の平均気温が1度上昇すると、大気に含まれる水蒸気量は7パーセントも増える。これが降雨量の増加の原因であり、大型の強烈な台風ができる原因となっているのだ。

だとすれば、もしもこのまま地球温暖化に歯止めがかからず、平均気温が上昇していけばどうなるだろうか。

じつは、今世紀末には今よりも3度ほど気温が上昇するという予測がある。そうなると、地球全体で見ると、スーパー台風の発生率は3割ほど低下すると考えられているが、日本に限っていえば、地理的な理由から大型台風に襲われる可能性はこれまでよりも上昇するとみられているのだ。

つまり、これから先日本では、さらに台風による被害が大規模化していく可能性が高いのである。そうなる前に危険な未来を回避すべく、地球温暖化対策に真剣に取り組むことが必要なのである。

ロボットやCGにほめられても、人は伸びるのか？

ほめられて伸びるタイプを自認している人は多い。そうでなくても「ほめられるのは嫌い」という人はあまりいないだろう。

では、ほめてくれるのが人間ではなく、ロボットやCGキャラだったらどうだろう。やはり、うれしくなるものだろうか。人間にほめられたときと同じように能力が伸びるものだろうか。

昨年、興味深いニュースが伝えられた。筑波大学などの研究チームが行った実験の結果、たとえロボットやCGキャラであっても、ほめられたほうが人間の運動能力は伸びるということが確認されたのだ。

これはキーボード入力の練習をしている人が、ロボットやCGキャラから「残り4回です」とか「入力が速くなっていますす。すばらしいですね」といった声をかけられることで、どれだけ能力が伸びるかを比較したものだが、たとえロボットからであっても、ほめる言葉をかけられたほうが明らかに能力がアップしたのだ。

さらに、ロボット1体よりも、ロボット1体とCGキャラとの両方から同時にほめられると、能力はよりアップしたのである。

どうやら人間は、相手が人間でなくても、ほめ言葉さえかけられれば能力を伸ばすことができるようである。

もちろんこの研究はまだ始まったばかりだが、ロボットやCGと人間とのより良い共存の形を期待させてくれるすばらしい研究である。

地球にかつて存在した「退屈な10億年」ってどんな時代？

激しい造山活動や火山の噴火、動植物の誕生と絶滅、氷河期、隕石の衝突…地球が誕生して46億年、その間、つねに地上は激動の変化の繰り返しだった。そんなイメージを抱いている人も多いだろうし、たしかにそれは間違いではない。

しかし、それだけではない。地球の長い歴史の中には、じつはほとんど何も起こらない、「退屈な10億年」と呼ばれる時代があった。地層の研究が進み、その実態が近年わかりつつあるのである。

それは、今から18億年から8億年前にあたる時期だ。

地球の変化には、大陸の地殻の厚みの変化とプレートの移動が深く関わっている。ところがこの時期には、地下深くにあるプレートの運動が今ほど活発ではなかった。そのために海の生き物への食糧の供給がなくなり、その結果、生物の進化がほとんど中断してしまったと考えられるのだ。そのために、どこを見回しても動物の姿はなく、かろうじてどろどろの海の中に微生物がいたくらいである。

しかもプレートの移動がないので造山活動も起こらず、高い山ができたり、火山が噴火したりすることもない。ただ、なだらかな山の起伏があるだけの、静かで平穏な世界が広がるだけなのだ。

将来、もしもタイムマシンが発明されても、この時代へ旅するのはやめたほうがいいかもしれない。ひたすら退屈な風景が続くだけかもしれないのだ。

2

「食べ物」は、理系の目で見るともっと美味しくなる

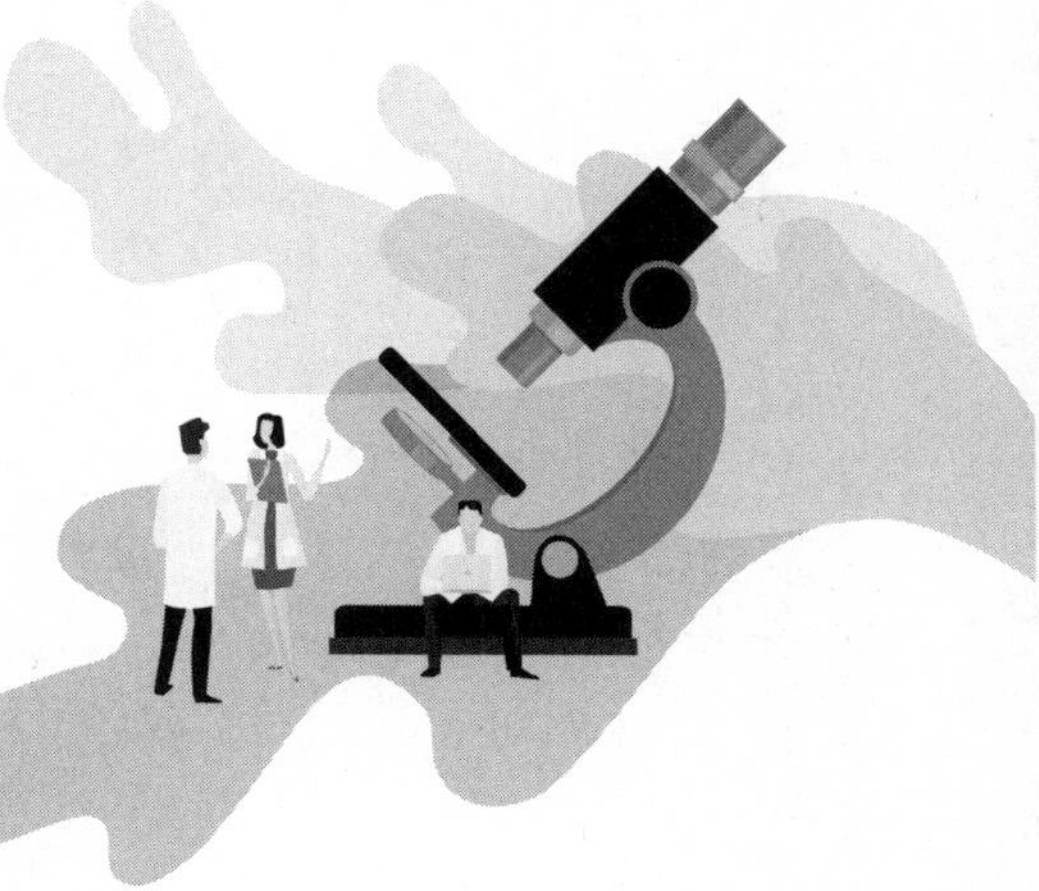

いま、なぜ「植物性の肉」が注目を集めている？

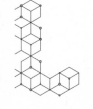

動物の肉を食べるのはもう古い――。すでに植物性の肉の時代が始まっているなか、コロナ禍でのステイホーム、巣ごもり需要が植物肉の需要を押し上げたようだ。原料は大豆やエンドウ豆、小麦などだが、めざましい技術革新により、見た目も味も本物の肉とほとんど変わらない商品が次々と開発されている。

すでにアメリカのスーパーでは日常的に販売されており、またハンバーガーチェーンとのコラボも行われ、多くの人がふだんから口にしている。

そして日本にも、その波がじわじわと押し寄せている。某有名ハンバーガーチェーンには「ソイパティ」を使ったメニューがあるし、スーパーでも売られている。

植物性の肉は低カロリー、低脂肪なので健康・ダイエット志向の人たちにはとくに歓迎されている。コロナ禍のなかでステイホームを強いられた人が、すすんで植物性の肉を食べているのもうなずける。もちろん動物の肉は高たんぱくだし、ミネラルなどの栄養が豊富といったよさもある。どちらか一方だけを食べるのではなく、目的に応じて選択肢が増えることは誰にとってもありがたいことである。

それにしても、なぜ植物性の肉が生まれたのだろうか。

じつは、空気中に排出される温室効果ガスのうち、約15パーセントは畜産業に由来するもので、さらに牧場を広げるために広大な森林が失われているという現実がある。そんな背景から植物性の肉の開発が急速に進んできたのである。

とはいえ、けっして畜産業を悪者にするものではなく、人類の「食」の新しい可能性として今後も大きく注目されていくのは間違いないだろう。

パスタを半分に折るのが難しいのはなぜ？

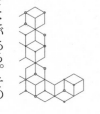

パスタを茹でるときには、鍋にうまく入るようにパスタを折ることがある。その

とき、半分に折ろうとしても、どうしても3本以上に折れてしまうという経験はないだろうか。

2本に折りたくても3本になってしまい、自分はなんて無器用だろうと反省する人もいるだろう。

しかし、自分を責める必要はない。これは器用か無器用かの問題ではない。パスタは誰がやっても必ず3本以上に折れてしまうのだ。ノーベル物理学賞を受賞した科学者のリチャード・P・ファインマン博士でさえも問いかけた、重大な科学的現象なのである。

そしてこの問いかけに対して、フランスのピエール・アンド・マリー・キュリー大学の物理学者バジル・オードリーとセバスチャン・ノイキルヒが、その謎を解明したと発表した。

それによると、パスタが最初に折れたときに「たわみ」が生じて、それが伝わるときに波が合成され、新しい折れ目ができる。つまり、1回目に折れた衝動が2回目の折れ目をつくるということが解明されたのだ。

場合によっては、それ以上の折れ目ができて、3本以上に折れてしまうこともある。いずれにしても、これはれっきとした物理現象だということが判明したのだ。

この話には、じつは続きがある。「それならば、どうにかして2本に折れないものだろうか」と考えた人がいた。アメリカのマサチューセッツ大学のふたりの大学院生が試行錯誤を重ね、ふたつに折る方法を発見したのである。「250度よりも大きい角度でねじると、半分に折れる可能性が高い」という結論に達したのだ。

今度、家庭でパスタを茹でることがあればぜひ試してみてほしい。

キッチンで大爆発が起きるのは、小麦粉のせい⁉

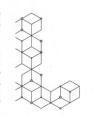

キッチンは火事の出火場所の代表でもある。たしかに火を使う場所なので、何かの間違いで火災が起こることもあるだろう。
しかし、それだけではない。たいていの家のキッチンに必ずあるものの中に、大爆発を引き起こす原因になるものがあるのだ。それは、小麦粉である。

大量に小麦粉を使ったときなどに小麦粉が空気中に漂ってチリ（粉塵）になり、それに炎が引火して、一瞬にしてほかのチリにも燃え広がり、大きな爆発になるのである。いわゆる「粉塵爆発」である。

じつは、この現象を引き起こすのは小麦粉だけとは限らない。コーンスターチや粉砂糖など、細かいチリとなって空気中に漂う可能性のあるものは爆発をする危険性をはらんでいるのだ。とはいえ、粉塵爆発が起こるのは、視界が悪くなるほどたくさんの粉が舞い、しかも湿度が10パーセント以下にまで下がった状態だといわれる。つまり、ふだんの食事の準備で小麦粉を使っているくらいでは起こらない現象なので過剰に心配する必要はない。

冷蔵庫を使わなくても ビールを冷やす意外な方法とは？

真夏に外から帰ってきて冷たいビールを飲もうと思ったら、冷蔵庫に入れるのを忘れていた。そんな絶望的な経験をしたことがある人も多いだろう。

じつは冷蔵庫を使わなくても、缶ビールを短時間でキンキンに冷やす方法がある。これを知っていれば、ぬるいビールを前にしてショックを受けることもないはずだ。

まず、ボウルの中に氷水を入れる。その中で缶ビールをクルクル回転させると、2～3分間でかなり冷たくなる。氷水が缶ビールからどんどん熱を奪っていくので、短時間で冷たくなるのである。

ただし、氷水は0度以下には下がらないので、ビールも0度以下になることはない。そこで、塩を足すといい。塩は氷の融解点を下げる。氷を入れた水はふつうの水よりもずっと早く冷える。だから氷水だけのときよりも、さらに早く冷えるというわけだ。

さて、そうやって冷えた缶ビールをすぐにそのまま飲むのもいいが、あえてグラスに注いで飲むともっとうまくなる。いわゆる三度注ぎをすることで味がよくなるのだ。

じつは、これにも科学的根拠がある。一度注いで泡をつくる。すると、この泡がフタになって、香りや炭酸が空気中に逃げるのを防いでくれるのだ。

これは単なる印象の問題ではない。ビールの代表的なメーカーであるKIRIN

が実験で立証している。香り成分や苦み成分がどれくらい残っているかを調べた結果、三度注ぎのほうが、より多く残ることがわかったのだ。経験から生み出されたようにも思える三度注ぎだが、じつは科学的な裏づけがあるのだ。

これさえ知っておけば、今後はビールの味がぐっと引き立つことは間違いない。

テキーラからダイヤモンドをつくる〝裏ワザ〟とは？

テキーラといえば強烈な酒の代表格だ。アルコール度数はなんと35パーセント〜55パーセントもあり、手っ取り早く酔いたいときには重宝する。

そのテキーラの原料はサボテンだと信じている人も多いが、それは間違いだ。竜《りゅう》舌蘭《ぜつらん》という、アロエに似た植物からつくられる。

ところで2008年、メキシコから驚くべきニュースが発信された。なんと、テキーラから人工ダイヤモンドをつくることに成功したのである。

といっても、最初からテキーラがダイヤモンドの原料になるとわかっていたわけではない。ある研究チームが、メタンガスなどの気体から人工ダイヤをつくり出す実験を行っていた。それが液体からダイヤをつくる研究へと発展し、エタノール40パーセント、水60パーセントの液体が人工ダイヤの製造に適していることがわかった。そして、その数値が、テキーラに近いことに気づいたのである。

そこで研究チームは、まさかと思いつつもテキーラを使って同じ実験を行ったところ、ダイヤモンドの被膜ができたのである。

もちろん人工物なので宝石としての価値はないが、工業用ダイヤとしてどんな使い道があるかが検討されている。

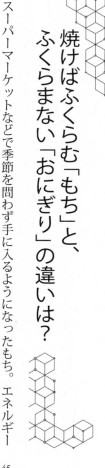

焼けばふくらむ「もち」と、ふくらまない「おにぎり」の違いは？

スーパーマーケットなどで季節を問わず手に入るようになったもち。エネルギー補給に食べるアスリートもいるように、もちはお正月に食べるもの、というイメージは今やすっかり薄れつつある。

ところで、もちの食べ方にはいろいろあるが、香ばしく焼き上げたもちは格別だ。焼き網を火にかけ、その上にのせたもちがぷくっとふくらむ様子を眺めながら焼き上がりを待つのもオツなものである。

それにしても、もちを焼くと風船のようにふくらむのはなぜだろうか。

もちはもち米からつくられるのは言わずと知れた話だが、もち米は主にでんぷん、とくにアミロペクチンという成分からなるでんぷんでできている。

このアミロペクチンには、粘り気があってのびやすいという特徴がある。顕微鏡でのぞいてみると、アミロペクチンは幾重にも枝分かれしたような形状になっていて、もちの中でアミロペクチン同士が複雑に絡み合っているのだ。

もちを焼くと、もちの中に閉じ込められている水分が加熱され、水蒸気になって体積が増える。このとき、しっかり絡み合ったアミロペクチンは切れることなく、しかもやわらかくゴムのようにのびる。こうしてもちは焼くことで内側から水蒸気に押されてふくらんでいくのである。

一方で、おにぎりも同じようにでんぷんを主成分とする米からつくられるが、おにぎりを焼いてももちのようにふくらむことはない。これには米の種類が関係している。

おにぎりにする米、つまり、ふだん炊飯して食べている米は、もち米ではなくうるち米だ。うるち米にはアミロペクチンのほか、粘り気のないアミロースというでんぷんも含まれているので、焼いてももちのようにふくらまないのである。

冷凍庫にしょうゆを入れても凍らないのはなぜ？

今や、欧米のスーパーマーケットでも当たり前のように棚に並ぶ調味料となったしょうゆ。開封後は冷凍庫で保存するのが一般的だったが、最近では開封後も常温保存できる商品も見かけるようになった。

では、このしょうゆを自宅の冷凍庫に入れたらどうなるだろうか。

水の氷点、つまり凍り始める温度が0度なのは小学校の理科で習う知識だ。家庭用の冷凍庫はマイナス18度前後なので、茶色い氷になる気もするが、実際は凍らない。しょうゆの氷点はもっと低いということになる。

全国のしょうゆ生産量の8割以上を占め、もっともポピュラーといえる濃口しょうゆの塩分濃度は約16パーセント。本来、16パーセントの食塩水ならマイナス20度で凍る計算だが、しょうゆには塩以外にもぶどう糖やアミノ酸などさまざまなものが含まれている。

水は、ほかの物質が混じって溶けていればいるほど氷点が低くなるので、しょうゆは家庭用の冷凍庫の温度では凍らない、ということになる。

ちなみに、しょうゆメーカーが行った実験では、マイナス40度でもシャーベット状になるのがやっとだったという。

ところで以前、天気予報専門サイトで気象予報士が「北海道内陸部はしょうゆも凍る寒さになるかもしれない」と報じて話題になったことがあった。

このとき予報が出された地域の気温はマイナス25度。この日、実際にしょうゆが凍ったかは定かではないが、理論上は「しょうゆの氷」にはならなかったはずである。

3

「新発明」「新発見」の裏にそういうドラマがあったんだ！

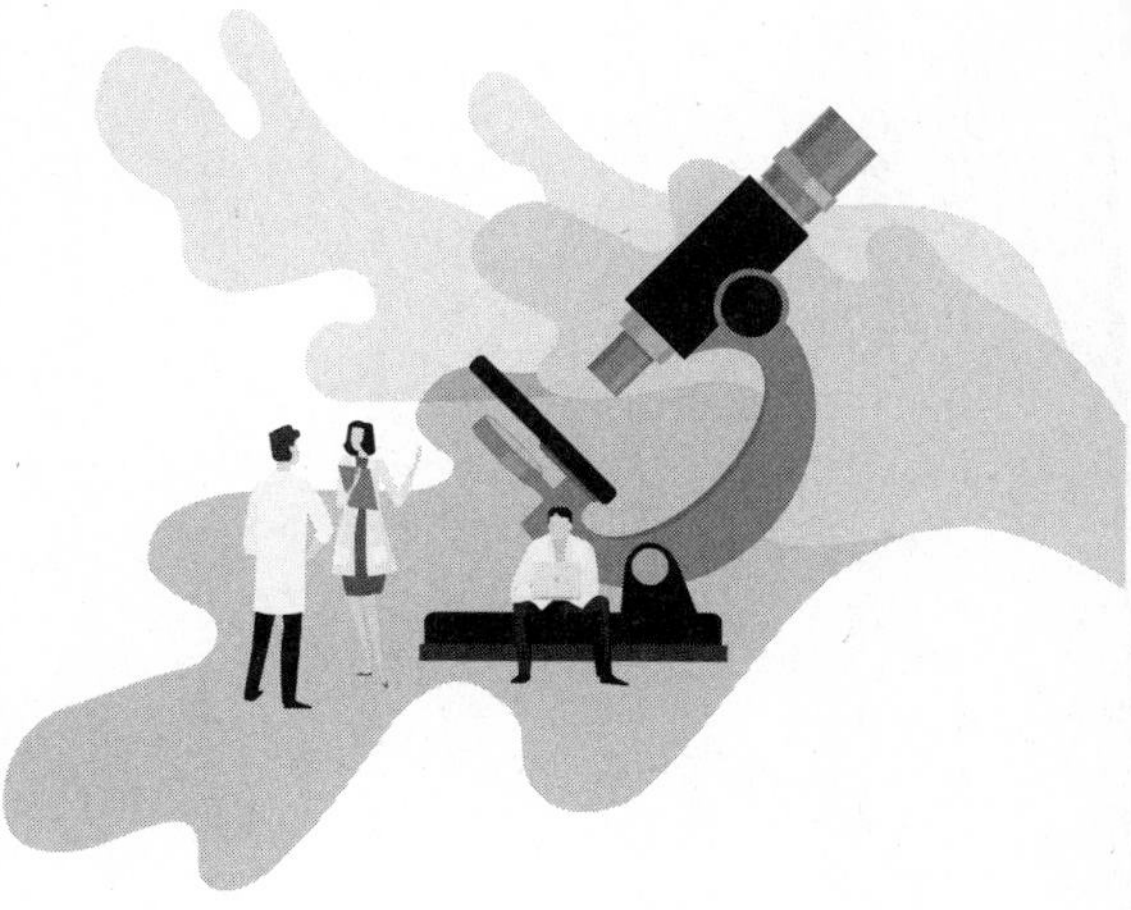

「ヒートテック」の暖かさを支える新テクノロジーとは？

ユニクロのヒートテックに代表されるように、着るだけで暖かい肌着はもはや冬の防寒としてなくてはならない存在になっている。

かなり気温が低い日でも、コートの下は肌着の上にニット1枚でOKというように、着ぶくれという概念を過去のものにした技術とはいったいどんなものなのだろうか。

暖かい肌着の多くに採用されているのが、吸湿発熱繊維という素材だ。人の体から発散される水分を利用することによって、薄くても暖かいという高機能を実現している。

ただ、発散される水分といっても、夏場にかく汗のようなイメージとは違う。季節を問わず、人間の体の表面からは気づかない程度の汗が水蒸気になってつねに発散されている。冬でも起きていることの現象を利用することによって「薄くて暖かい」を実現しているのだ。

水分が水蒸気になる際には、周囲の熱を奪う。これは気化熱と呼ばれるもので、汗をかくと体が冷えるのは気化熱となって体温が奪われるためだ。逆に、水蒸気が液体に戻るときには、凝縮熱として周囲に熱を放出する。吸湿発熱繊維は、いったん水蒸気になった汗を捕らえて再び液体に戻すことでそこに熱を発生させるしくみになっている。

さらに、極細の糸で織られていることで、糸と糸の間に空気の層をつくり出し、いったん発生させた熱を逃がさない。羽毛やウールなどが空気を抱き込んで保温するのと同じだ。

ただし、吸湿性が高いために肌が乾燥しやすかったり、生地の薄さの割に乾きにくいという側面もある。

文明の利器で暮らしが豊かになる一方で、その特質を理解して利用することが消費者にも求められるのだ。

「ドローン」の登場は世の中をどう変えた？

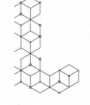

２０２０年、アメリカの大手ネット通販のアマゾンがドローン配達の許可をとったとして話題になった。通販や災害復旧、遠隔地医療や果ては軍事利用まで、ドローンが活躍する場面は急激に増えているが、そもそもドローンとは何か、明確に説明できるだろうか。

ドローンと同じように、手元の操作で遠くまで機体を飛ばすといえば、なじみがあるのはラジコンだろう。小さな子どものおもちゃとしても普及しているラジコンだが、車両タイプのものと違ってヘリコプターや飛行機などの場合はかなり操作が難しく、思うように動かすためには高度な技術が要求される。

その点、ドローンは安定した飛行を自立的に行うためにコンピューターを搭載し、さらにＧＰＳやカメラ映像を利用した操縦システムを使うことで誰でも簡単に動かすことができるのだ。

メリットばかりの技術革新にも思えるが、ドローンには懸念材料もある。

操作性が上がったことによって多くのドローンが空中を飛んでしまうと、飛行機やヘリコプターなどと衝突する事故が起きかねない。大都市圏を飛べば建物などとの衝突も考えられる。

当然、防犯上の問題もある。皇居や政府の施設、要人の私邸、空港などの上空をドローンが飛び交えば、テロなどの犯罪を容易にしてしまうことになる。

また、国によって操縦するためのWi-Fiや電波の規制が異なることもあり、ドローンが規制なしに増えてくると事故につながりかねない。

日本では２０１５年12月にドローン規制法が施行されて、２００グラム以上の機体を持つドローンに対して飛行規制がかけられた。

たとえば、東京23区では許可なくドローンを飛ばすことができる場所はほとんどない。

１９９０年代の湾岸戦争の際、ドローンを使った米軍の空爆がニュース映像として世界に流されると、「まるでゲームのよう」といわれるような現実味のないものに映った。

手元の操作ひとつでできる遠く離れた場所からの攻撃は、人の命を奪うということの重みを失わせてしまう。技術の進歩はつねに危険をはらんでいることも事実なのである。

「どこでもドア」はたぶんつくれない理由とは？

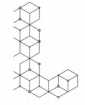

「ドラえもん」の四次元ポケットから取り出される秘密道具の中でも、一、二を争う人気の道具が「どこでもドア」だ。
扉をくぐるだけで好きなところに行くことができれば、移動という概念は変わり、距離や国境は形骸化するかもしれないし、世界はもっとダイナミックに枠組みを変えることだろう。
しかし、宇宙物理学の考え方に照らし合わせれば、どこでもドアは現在のところ実現不可能だという。

ドアを挟んで別の空間が存在しているということから、どこでもドアは宇宙物理学でいうワームホールだと考えることができる。

ワームホールとは、時空のある一点から別の一点に直結しているトンネルのような空間領域のことだ。理論上、その両端にはすべての物質を吸い込むブラックホールと、すべての物質を吐き出すホワイトホールが存在することになる。

重要なのは現在、存在が確認されているのはブラックホールだけだということだ。ワームホールとホワイトホールはあくまでも理論上の存在にすぎないのである。

さらに、ブラックホールの中では途方もない重力がかかる。人間が入ったら体をめちゃくちゃに引きちぎられてしまうほどで、とても無事に通り抜けられるものではないだろう。

もっといえば、ブラックホールについては未解明のことのほうが多い。残念だが、現在の時点では、どこでもドアをつくることはできないのだ。

未来の科学技術で、ワームホールとホワイトホールが発見され、ブラックホールの謎も解き明かされれば、どこでもドアのような空間の行き来が可能になるかもしれない。そのときまでは、漫画や映画の中で夢を膨らませるしかないのである。

レアメタルは何をもって「レア」だと言えるの？

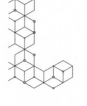

レアという言葉が頭についていれば、「貴重、珍しいもの」と感じるのがセオリーだろう。

レアメタルと聞けば、めったにないような貴重な金属だと多くの人が解釈するはずだ。

レアメタルは「希少金属」と訳される。しかし、これは科学的な分類でつけられた名称ではないのだという。

では、何を基準に「希少」なのかといえば、じつは国際的なルールとして明確なものは定められていない。日本の場合は、埋蔵量が少ないか、採掘に高額のコストや技術が必要などの理由で産出量が少ないことや、産業的な利用価値が高いことを基準にしている。

この基準で測れば、たとえば金はさまざまな分野で重要な金属だが、埋蔵量や産出量も多く、日本でも産出しているのでレアメタルには該当しない。

レアメタルは、それぞれの産出量は少なくても、その種類は意外と多く、地球上に全部で約90種類ある元素のうち、47種類がレアメタルに該当する。

リチウムやコバルト、ニッケルはリチウム電池をつくるのに必要だし、タングステンは白熱電球に必要な金属だ。

全体を見渡せば、珍しいとはいえないほど種類が多いレアメタルだが、ひとつひとつは希少であることは間違いないだろう。

ただし、種類は多くてもレアメタルを産出する国は偏っており、それが国際的な摩擦を生む原因にもなってきた。そこで近年では工業製品からの回収や新たな資源開発によってレアメタルを自国で賄えるようにという動きが世界的な流れになっている。

日本でも、九州沖の排他的経済水域でレアメタルを含む鉱物資源が相当量埋蔵されていることが判明し、採掘への研究が始まっているのである。

日本の切り札・メタンハイドレートの〝現在地〟とは？

ＳＤＧｓ、つまり持続可能な開発目標という概念が世界的な命題となってから、環境に負荷が少ない次世代エネルギーの確保が各国共通の課題になっている。

もともと資源の乏しい日本においては、エネルギーの確保というのは頭の痛い問題であったのだが、ここにきて今後１００年分は採掘できそうなエネルギー資源が発見された。それが、メタンハイドレートである。

メタンハイドレートとは、海底に埋蔵されている資源で、都市ガスにも利用されている天然ガス・メタンと水が結合してできている化合物だ。見た目はシャーベットのように見えるため、「燃える氷」という別名で呼ばれることもある。

天然ガスは、石油や石炭に比べて燃やしたときに出る二酸化炭素の量が少ないクリーンなエネルギーなのだ。

周囲を海で囲まれた日本にとって、海底資源の探索はエネルギー政策の重要な柱だった。日本沿岸には相当量のメタンハイドレートが存在するとされており、日本で採掘可能な量としては100年分に相当するという説もある。

日本が自国で生産できる次世代エネルギーとして注目されているメタンハイドレートだが、一番の課題はその採掘方法だ。

メタンハイドレートの構成分子であるメタンと水分子の比率は1対15だ。つまり、燃やすと大量の水が出てしまうため、そのままでは利用できない。しかも、メタンハイドレートは固体であり、ガスや石油のように吹き出すことがない。

理想的な方法は海底のメタンハイドレートからメタンだけを分離して採取することだ。日本の経済産業省が進めてきた「メタンハイドレート開発促進事業」で日本近海での採掘実験が進んでおり、2013年には6日間で12万立法メートルの天然ガスを産出することに成功している。

実用化にはまだまだ課題も多い次世代エネルギー開発だが、海洋国日本はその研究の先端を走り続けているのである。

どうして「アドレナリン」には名前が2つある？

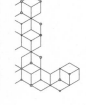

ホルモンの一種である「アドレナリン」は医療用語なのだが、大事な局面で緊張感や集中力が高まった状態を「アドレナリンが出た」などと表現したりする。

アドレナリンが日本薬局方で正式名称になったのは２００６年のことだ。ヨーロッパではこのホルモンが発見されて以来、アドレナリンと呼ばれていたが、日本とアメリカではエピネフリンと呼ばれた。

同じ物質にこのように2つの名前があるのにはワケがある。

アドレナリンは動物の副腎髄質から分泌するホルモンで、そこに何かしらの作用があることは『旧約聖書』にも記されているほど古くから知られていた。そのため、欧米の化学者たちには長い間、興味の対象だったという。

化学が大きく発展した19世紀以降、この伝説のホルモンを不純物がない状態で抽出するために欧米の科学者が競い合っていた。

そんななか、いち早く純粋なホルモンの抽出方法を見出したのは、日本人科学者の高峰譲吉とその助手だった上中《うえなか》啓三だった。1900年、食肉加工場で廃棄されていた牛の副腎から分泌物を結晶化して、純粋なホルモンを取り出すことに成功したのだ。高峰はこの物質をアドレナリンと命名し、商品化されると止血剤や昇圧剤として医療現場で欠かせないものとなった。

ところが高峰の死後、この発見に物言いがついた。アメリカの研究者であるエイベルが、高峰は自分の研究を盗んだと主張したのだ。エイベルのこの主張は認められ、アメリカではアドレナリンの第一発見者はエイベルと認定、正式名称はエピネフリンが採用された。

それに従い、日本でもエピネフリンが採用されたのだが、専門家の間にはその功績を称えたいというジレンマがあったのだろう。1951年に改正された日本薬局方には2つの名称を足して2で割ったような「エピレナミン」という記述もある。

そんな紆余曲折の末に高峰らの業績が認められ、2006年にアドレナリンという名称がめでたく復権したのだ。

核反応を100万年続けたフランスの「天然原子炉」って何？

原子力発電所の原子炉は人類の英知を集めてつくられたものだが、ひとたび核が暴走すると人間の手に負えないものであることが2011年3月に起きた福島第一原発の事故で再認識されたことは記憶に新しい。

原子力発電の原料となっている天然ウランは、そのままでは核反応は起こりにくい。ウランを核反応させてエネルギーを生産するには、0・72パーセントしか含まれていないウラン235を人工的に濃縮して3〜4パーセントにしなければならないのだ。

ところが1972年、フランスのウラン濃縮工場で奇妙なウランが見つかった。天然ウラン中のウラン235は地球上どこでも0・72パーセントのはずが、中部アフリカのガボン共和国にあるオクロ鉱床から採掘したウラン235は0・60パーセ

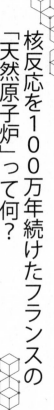

ントしかなかったのだ。

そこで原子庁が調査を進め、その結果、オクロ鉱床には約17億年前に天然の原子炉があったと発表したのだ。まだ人類が誕生していない17億年前のアフリカで、どうやって原子炉ができたのだろうか。

ウランは花崗岩に含まれていて、しかも比重が重いのでそこから溶け出すと川の底に溜まる。これが気が遠くなるほどの長い時間をかけて地層になり、ウランが異常に濃縮したウラン鉱床ができた。

オクロにはこの鉱床がレンズ状になっている部分があり、そこで地下水と反応して自然に核分裂が起きたとみられている。

この偶然が重なってできた天然の原子炉では、もちろん電気をつくっていたわけではないが、１００キロワット分の電気が生産できる熱を１００万年近くかけて放出していたと推定されている。

フランスのウラン濃縮工場で見つかったウラン２３５の含有量が少ないウランは、オクロ鉱床で自然に核分裂を起こしているうちに濃度が下がり、自然に分裂が停止したものだったのだ。

「電磁波」は、実際、人体にどんな影響を及ぼすの？

ひと昔前、電子レンジなどから放出される電磁波を浴びるのは体に悪いとしきりに取り上げられたことがあったが、最近では話題に上ることはあまりない。とはいえ、電磁波が減っているというわけではない。

むしろ我々が日常的に浴びている電磁波は増えていて、特に家庭では膨大な電磁波の中で生活しているといっていい。ＩＨ調理器や電子レンジ、冷蔵庫、テレビなどの家電はもちろん、今や日常生活に欠かせないものとなったスマホやタブレットなどの通信機器の影響も大きい。

電磁波というのは「電場と磁場の変化を伝搬する波」で、レントゲン撮影に使われるエックス線やリモコンの赤外線、太陽からの紫外線、電子レンジや携帯電話のマイクロ波も電磁波の仲間だ。つまり、どれも光の一種である。

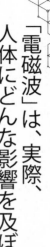

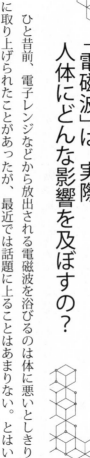

だから、伝わる速度もこの世で最も速い。同じ波でも空気を振動させて伝わっていく音波の速さは1秒に340メートルだが、電磁波はその88万倍の30万キロメートルも進むのだ。

これは1秒間で地球7周半に相当する距離になるため、「音の伝わる速さはジェット機と同じくらい」というように、電磁波の速さを乗り物にたとえることはできない。目には見えないし、ふだんはあまり意識することもないが、そんな超高速の電波が大量に飛んでいる中で現代人は暮らしているのである。

ちなみに2019年以降、次世代ネットワークをめぐる「米中5G戦争」が話題になり、日本の通信大手もこぞって5Gのサービスに乗り出しているが、その一方で健康被害を懸念する声もある。

5Gは進み方が真っすぐで、壁などで遮断されやすいので、つながりやすくするためには小型の基地局をたくさん建てなければならない。つまり、サービスが広がれば日常的に浴びる電磁波は格段に増えてしまうというのだ。

そのため、スイスやベルギーなどのように「国民はモルモットではない」と5Gの導入に制限をかける国もある一方で、人体に影響はないとする専門機関もある。

イヤホンから聞こえる音がクリアなのはどうして？

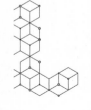

最近、耳にワイヤレスイヤホンをつけている人をよく見かけるが、ひと昔前のようにシャカシャカと音漏れをさせている人はほとんどいない。

これは、アクティブノイズキャンセリング機能を搭載したワイヤレスイヤホンが手ごろな価格で販売されるようになったからだ。

アクティブノイズキャンセリングとは外部から聞こえてくるノイズを消してくれる機能で、ボリュームをガンガン上げて雑音をかき消さなくても快適に音楽などを楽しむことができるのだ。ノイズを消すのに使われているのは、音だ。たとえば電車に乗っていると、モーター音や人の話し声、車体が揺れる音などさまざまな雑音が耳に入ってくる。音はオシロスコープという装置で波形として見ることができるが、これらのノイズの波形に対して真逆の波形、つまり180度ずれている音波の信号を生成して重ね合わせると音は消えるのだ。

そこで、イヤホンにノイズを収集するためのマイクをつけ、拾った音に対して逆相の信号を出している。つまり、波形をプラスマイナスゼロにすることで、ノイズを打ち消しているのである。

この技術はけっして新しいものではなく、１９８０〜９０年代には開発ブームが起き、ソニーは１９９５年に世界で初めてアクティブノイズキャンセル機能を搭載したヘッドホンを市販している。

ただ、当時はさほど話題にもならず、認知度も低かったという。その技術がやがてデジタル化され、高性能になって現在のようなメジャーな存在になったのだ。

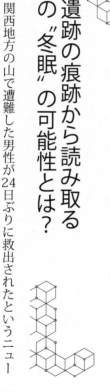

古代遺跡の痕跡から読み取るヒトの〝冬眠〟の可能性とは？

２００6年、関西地方の山で遭難した男性が24日ぶりに救出されたというニュースが日本中を駆け巡ったことがある。

この男性は遭難してから飲まず食わずで、発見時の体温はわずか22度。呼吸も心拍も弱かったものの生存しており、その後、社会復帰を果たしたという後日談も伝わった。

しかし、医療の常識ではこの状態での生還は考えられず、一部の専門家の間で男性は冬眠状態だったのではないかという見方も出たほどだった。

果たして人間は動物と同じように冬眠できるのか。その答えは現段階ではノーと答える専門家が多いだろう。動物の冬眠のメカニズムそのものも、じつはさほど解明されていないこともある。

だが最近、そのヒントになりそうな興味深い説が浮上した。なんとヨーロッパの古代遺跡で、ネアンデルタール人が冬眠していたかもしれない痕跡が見つかったというのだ。場所はスペイン北部のアタプエルカにある「シマ・デ・ロス・ウエソス」という洞窟遺跡である。

そこでは、およそ40万年以上前のネアンデルタール人の化石とみられる骨が見つかっており、このほどその損傷状態を詳しく調べたところ、同じく洞窟に残されていたクマなど、冬眠する動物の状態と類似していたというのだ。

一般に冬眠は骨の形成に大きな影響を与える。もしも人間がクマのように冬眠すれば、筋力が衰えるのと同時に骨量も減少し、まともに歩けなくなると推測されている（クマは目覚めてさほど経たないうちに、ちゃんと歩行できる）。

この洞窟で発見された人骨は、まさに何度も冬眠を繰り返し、成長が妨げられたような痕があったというのである。

とはいえ専門家の間でも見解は分かれており、冬眠説を支持する声はけっして多くはない。ただ、なんらかの条件が揃うことでヒトの冬眠が可能だとするならば、それはそれで人類にとっては新たな可能性が広がるニュースといえるだろう。

「LED電球はおトク」というが、実際、どれほどおトク？

使えば使うほどおトクだという話を聞いて、自宅の電球をすでにＬＥＤ電球に取り換えている人も多いだろう。

電球といえばひと昔前は白熱電球が主流だったが、その寿命は1000時間程度。1日5時間点けたとして、半年少々で交換のタイミングを迎える。

ところが、LED電球の寿命はおよそ40倍、約4万時間といわれている。一度取りつければ、1日5時間として20年以上は使える計算だ。

さらに、LED電球は電気を効率よく光にすることができ、消費電力は白熱電球の5分の1から6分の1以下ですむという。同じ電球にもかかわらず、どうしてこれほど圧倒的な差が生まれているのだろうか。

LED電球のLEDとは「LIGHT EMITTING DIODE」の略で、半導体の一種だ。日本語の「発光ダイオード」という名前の方がおなじみかもしれない。

LED電球の内部にはこの発光ダイオードが使われていて、流れてきた電気を発光ダイオードが光に変えることで明るくなる。しかも、発光ダイオードは長期間使うことができる。

一方の白熱電球に使われているのは、フィラメントという細い電線だ。フィラメントに電気が流れることで発光し、それが白熱電球の光を生んでいる。

ところが、フィラメントは光を放つたびに消耗していくのがネックになる。高温になり、どんどん細くなって最終的には切れてしまう。文字どおり〝電球が切れた〟状態になって光らなくなるのだ。

お値段自体は少々高い印象もあったＬＥＤ電球だが、その普及によって徐々に買いやすい価格になってきている。家計にやさしい光として今後も重宝されていくことだろう。

指先一つで操作できる最新スマホのテクノロジーとは？

スマートフォンやタブレット端末、ゲーム機にデジタルカメラなど、画面に直接触れて操作をすることができるタッチパネル。今ではなくてはならない存在になったが、そもそもなぜ指先で触れるだけでコンピューターを動かすことができるのだろうか。

薄い膜のような部品のタッチパネルにはいくつかの種類があり、その代表的なものに「静電容量方式」と「抵抗膜方式」がある。

まず、スマートフォンやタブレットによく採用されているのが静電容量方式だ。静電容量方式は静電気を利用したタッチパネルで、表面にはわずかな静電気が流れている。タッチパネルに触れた指やタッチペンにその静電気が流れ、静電気の変化をセンサーが感知して操作が行われる。

手袋をしたままスマートフォンをタッチしても操作できないときがあるが、これは指に静電気が流れないからである。

一方の抵抗膜方式は、2枚の電極膜がすき間を空けて重なるようにセットされている。画面をタッチすることでその2枚の膜が接触して電気が流れ、それをセンサーが感知して操作が行われる。

こちらは手袋をしたままでも操作できるため、医療機器などには抵抗膜方式が使われることが多いという。静電容量方式も抵抗膜方式も、どちらも電流を利用したしくみなのだ。

振り子を利用して走る電車があるって本当？

振り子といえば、日米のプロ野球で数々の大記録を残した〝世界のイチロー〟の振り子打法が懐かしいが、列車の世界では今も現役で振り子を使う車両があるという。

山間部などカーブの多い路線を走る特急電車で、現在も乗客を運んでいる振り子式車両がそれだ。そのしくみを紹介しよう。

カーブにさしかかると、遠心力が働いて脱線の危険があるため、特急といえどもスピードを落として走らざるを得ない。

たしかに安全ではあるが、カーブが多ければ当然、目的地への到着が遅くなってしまう。乗客にとってはうれしい話ばかりではない。

そこで、カーブでも高速で走行するために開発がすすめられたのが振り子式車両だ。振り子式車両は、列車の車体と、車輪がついている台車の間に「コロ」と呼ばれる特殊なローラーのようなものが左右に入っている。

そして、カーブにさしかかると車体がそのコロによって振り子のように傾く。こうして遠心力を打ち消しながら、通常の車両よりも速くカーブを走り抜けることができるというわけだ。

国内の特急列車にこの振り子式車両が登場したのは昭和48（1973）年のことだ。その後、乗客から乗り物酔いをするというクレームが相次ぎ、最新技術を取り入れて進化した。一般車両と比べると、カーブで時速30キロメートル以上速く走行できる振り子式車両もあったという。

2021年現在も、振り子式車両は北海道や四国などで現役を続けている。その複雑な構造から開発にはコストがかかるというが、それでも全国の複数の路線で採用されていることが、このメカニズムがどれほど優秀かを物語っている。

4

「宇宙」と「地球」を楽しむには、この知識が必要だ！

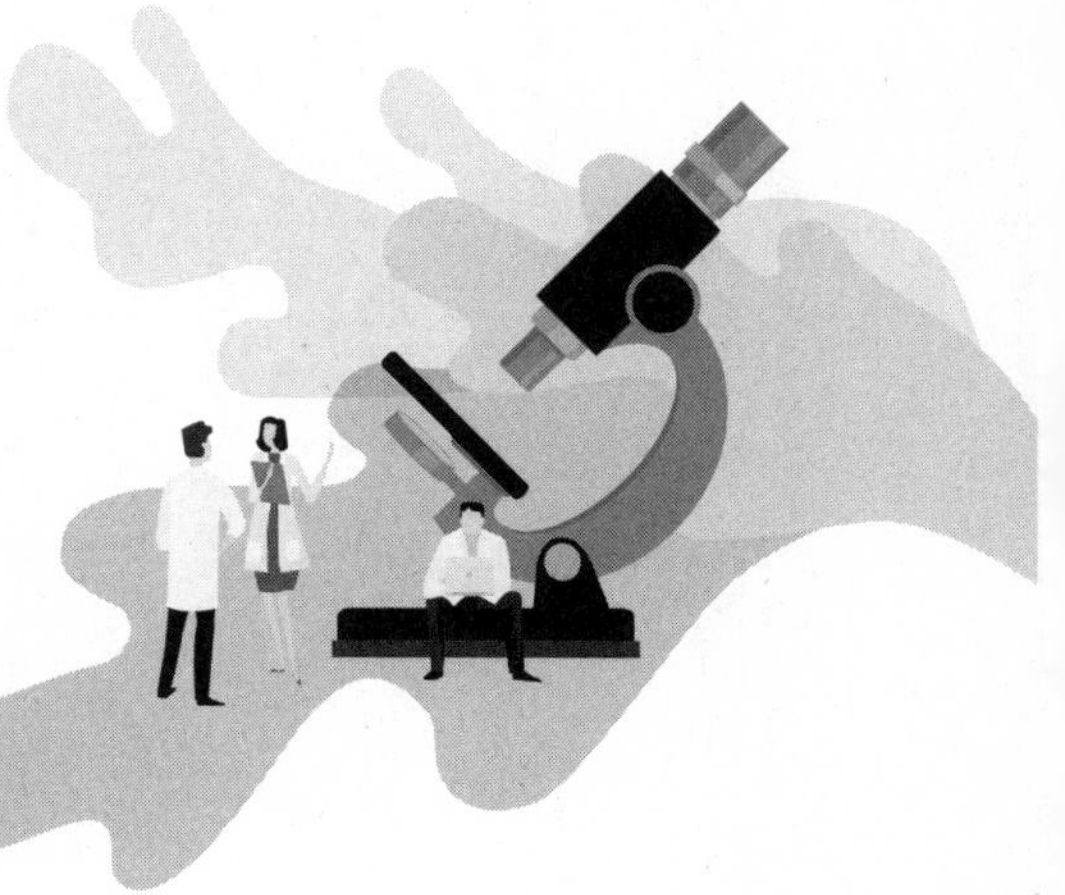

「一等星」以上の星はいくつある？

誰もが知っているように、星の明るさは「等星」という単位で表す。夜空を見上げて一番明るく見える星が1等星で、もっとも暗く見える星が6等星だ。そして、その間を5段階に分けて、1等星から6等星までを決めている。

これは紀元前150年頃にギリシャの天文学者ヒッパルコスが始めたもので、現在でもその考え方は受け継がれている。

現在は、1等星の星は21個、2等星は67個というように、それぞれの明るさの星が細かく定められ分類されている。

また、明るさのとらえ方も細かく厳密になっている。1等星の明るさを1とした場合、2等星は0・40、3等星は0・16となり、6等星の明るさは0・01とされているのだ。

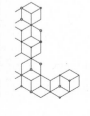

では、1等星よりも明るい星はどうなるのだろうか。

1等星の上は0等星とされる。これは1等星を1とした場合、2・5の明るさの星である。さらに明るい星は、マイナス1等星、マイナス2等星…というふうに続く。1等星の明るさを1とすると、マイナス4等星の明るさが100となるのだ。

この考え方でいくと、太陽はマイナス26・9等星ということになる。また月は、満月のときでマイナス12・7等星とされている。数字だけではピンとこないが、これは「太陽は満月の約40万倍の明るさ」ということになるのだ。

日本にも隕石の落下でできたクレーターはあるか？

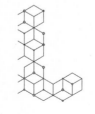

地上には、1年間に何個の隕石が落下しているのだろうか。
1913年から2013年までの100年間の統計では、隕石の落下は地球全体で605個が確認されている。単純計算で、1年間の平均は約6個ということにな

る。これが多いか少ないかは人によって受け止め方が違うだろう。

ところが、日本だけに限ると100年間で20個が確認されている。つまり5年に1個の割合で地上まで落下しているのだ。日本の国土面積が世界に占める割合は、わずか0・28パーセントである。それを考えると、5年間に1個という数は多いようにも思える。

これは国土が狭い割には人口密度が高く、落下した隕石を発見する確率が高いことを意味している。見方を変えれば、日本では人口密集地に隕石が落下する可能性がほかの国よりも高いということでもあるのだ。

ところで、これほど多くの隕石が落下しているものの、実際には国内で隕石のクレーターを見ることはほとんどない。巨大なクレーターはほとんど残っていないが、じつは日本で唯一の隕石クレーターが長野県飯田市に存在する。日本アルプスの御《お》池山《いけやま》にある隕石クレーターがそれだ。

今から約2〜3万年前に、直径約45メートルの隕石が落下した痕跡だと推定されており、落下直後は直径900メートルほどのクレーターだったと考えられている。

ただし、本格的な研究が始まったのはここ30年ほどであり、平成22年には国際的な雑誌である『隕石と惑星の科学』に研究論文が発表されている。

現在では、御池山の尾根沿いにクレーターの地形が約40パーセント残っており、近くまでいって見ることができる。

結局、ブラックホールのことはどこまでわかった？

宇宙の神秘と考えられているもののひとつにブラックホールがある。あらゆる物質を飲み込む黒い渦というイメージが一般的だが、じつは長い間は理論上の存在であり、科学が進歩するにつれ実験では証明されていたものの、実際に宇宙空間で発見されたことはなかった。

ブラックホールの存在が確認されたのは、2019年4月のことだ。国際的な研究チームが、おとめ座銀河団の楕円銀河M87の中心に位置する巨大ブラックホールを電波望遠鏡によってとらえることに成功した。

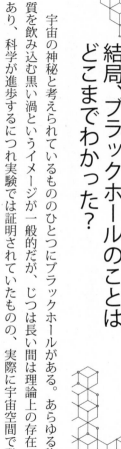

地球からの距離は５５００万光年、太陽の65億倍の質量を持つブラックホールの写真はデータ加工によって画像化され、赤とオレンジに輝くリングの中に漆黒の姿が全世界に向けて公開された。

ブラックホールはその成り立ちによって大中小の３種類に分けることができる。

もっとも一般的といえるのが、超新星爆発によってできると思われる中型サイズだ。爆発の残骸のところに存在すると考えられており、これは宇宙に無限に存在するはずだという。

おとめ座銀河団で観測されたのは、もっと大きいサイズの巨大ブラックホールだ。ほとんどの銀河の中心には巨大なブラックホールがあると思われているが、なぜそれほど大きくなるのかはまだわかっていない。

また、素粒子より小さいのが極小ブラックホールだ。宇宙の始まり、つまりビッグバンによって膨大な数の物質が宇宙空間に密集し、それが密度の不均衡を産むことで高密度の領域にはブラックホールができやすい環境にあった。このとき、素粒子より小さいサイズのブラックホールがたくさんできたのではないかというのだ。

物理学者のスティーブン・ホーキング博士が唱えたことで有名な「ブラックホー

ル蒸発理論」によれば、ブラックホールは物質を吸い込むだけでなく、自らのエネルギーを放出している。そしてサイズが小さければ小さいほど、短時間で消滅してしまう。

そのため、ビッグバンのあたりでできた極小のブラックホールはすでに消滅しているだろうという。

宇宙についてはいまだほとんどの謎が解明されていないといっても過言ではないが、同時に科学技術の進歩によって日進月歩の分野であることも間違いない。

これから10年、20年と研究が進めば、ブラックホールについての知識に限らず、宇宙の常識がまったく覆されているかもしれないのである。

空にある星が落ちてこない理由をめぐるウソのような話とは？

空にある星がなぜ落ちてこないのかという素朴な大疑問に答えを出したのがかの

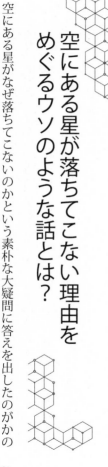

アイザック・ニュートンだ。その答えは、「動いているから」。たとえば人工衛星は地球の周りの軌道を飛び続け、重力と均衡をとることで落下することがない。

太陽系に目を向けると、太陽からの距離を一定に保ちながらたくさんの星がその周りをまわっており、そこで一定以上の大きさを持つ太陽系の惑星を太陽に近い順に、水星、金星、地球、火星、木星、土星、天王星、海王星となる。

太陽の周りをまわる惑星は、太陽の重力の影響を受ける。当然、距離が近いほど重力の影響は大きくなるので、一番近い水星がその影響をもっとも受けていて、逆に、海王星への影響はもっとも小さい。

ニュートンの法則に基づけば、重力に釣り合って落下しないためには動き続けることが必要だ。引っ張られる重力と釣り合うためには、それに見合う運動量が必要になる。つまり、水星と海王星の回転速度を比べたら、水星の速度が圧倒的に速いのである。

しかし、ニュートンの法則では解明できない現象がある。ルービンという学者がアンドロメダ銀河にある星の回転速度を計測したところ、銀河の中心からの距離にかかわらず、回転速度は同じだったというのだ。

なぜこんな現象が起こるのかという原因のひとつとして考えられているのが「暗黒物質」だ。宇宙空間の光のない部分には、「何もない」のではなく何らかの物質が詰まっており、星たちはその影響を受けているのではないかという。

暗黒物質はいまだにその正体が不明という、まさに「暗黒」な物質だ。候補としては、ニュートリノ、アクシオン、ダークフォトンなどが挙げられているが、実際のところはいまだに解明されていない。

宇宙空間でわれわれ人間の目に見える物質はほんの5パーセントに過ぎず、残りは目に見えない物質やエネルギーで占められているとされる。その正体を解明して可視化することは、宇宙物理学における最大のテーマだといえるのだ。

宇宙と地球の境界線はどこにある？

惑星探査機が宇宙でのミッションを終えて大気圏に再突入する映像は、いつも科学技術のすばらしさを見せつけてくれるものだ。あの映像を見て、宇宙飛行士になって宇宙に行ってみたいと夢をふくらませる子どもたちも少なくないだろう。

ところで、夜空を見上げていると地球と宇宙はひと続きなことがわかるが、いったいどこまでが地球でどこからが宇宙なのだろうか。

そもそも地球の大気は何層にも重なっていて、学術的には高度20キロメートルまでは「対流圏」、50キロメートルまでは「成層圏」、85キロメートルまでを「中間圏」という。そこからさらに上空にある「熱圏」を含めて、上空800キロメートルくらいまでの大気がまったくなくなるところまでを「大気圏」という。

つまり、大気がなくなったところからが宇宙というわけだ。

だが、そうなるとスペースシャトルは宇宙船と呼べるのだろうかと疑問がわいてくる。スペースシャトルが飛行しているのは高度400キロメートルだからだ。

じつは、地球と宇宙の境界線は学術的には800キロメートルあたりだが、実際には100キロメートルあたりで大気はほとんどなくなるため、国際航空連盟は海抜高度100キロメートルより上空を宇宙としている。この境界線のことを「カーマン・ライン」という。

さらにアメリカ空軍は、80キロメートルの中間圏より上は宇宙と定義している。大気は惑星の重力に引きつけられているので、地球との距離が遠くなるにしたがって大気の濃度は徐々に低くなる。だから、「ここまでが地球」というような明確な線引きはできないのだ。

スペースシャトルが飛行しているのは、地球でもあり宇宙でもあるというわけだ。

キトラ古墳の天文図は、いつどこから見た星空なの？

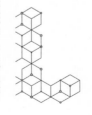

奈良県明日香村にある「キトラ古墳」は、日本を代表する古墳遺跡である。造営年代は7世紀末〜8世紀初め頃と推測されており、天武天皇の皇子である高市皇子の墓だともいわれているが、詳しいことはわかっていない。

このキトラ古墳の価値を高めているのは、内部に描かれている壁画の素晴らしさで、青龍・白虎・朱雀・玄武の四神像や、獣頭人身の十二支像のほか、みごとな天文図が描かれていることで有名だ。

なかでも天文図は現存する世界最古のものだといわれているが、そこで気になるのが、ここに描かれているのはいったいいつ、どこから見た星空なのかということだ。

ベースになっているのは中国星座で、描かれているのはおよそ360個の恒星と、それで形成される74の星座だ。そのほか、北極星を中心につねに星が地平線下に沈まない範囲を示す円（内規）や、天の赤道なども精密に描かれている。

これらの位置で割り出されたのは、中国の洛陽や長安といった都市があった北緯34度付近で、時期はおよそ4世紀頃だという（時期についてはさらにさかのぼって紀元前1世紀という分析もある）。

星の位置は赤経と赤緯で表すが、赤経は春分点と呼ばれる基準点から東向きに、赤緯は天の赤道を基準に南北に測って北向きを正とする。この赤経と赤緯は地球の自転軸の運動周期によって変化するため、星の位置を割り出すことができるのだ。

絵師はなんらかの形で中国から伝わってきた天文図を見ながら、白い漆喰の天井に下絵を描きながら制作したとみられ、描き直した形跡や星の誇張もあり、分析結果との誤差がないわけではない。

ただ、描かれているものがはるか古代に大陸で観測された星空であることは事実で、そう考えるだけでなんともロマンチックな話ではないだろうか。

ロケットが宇宙へ飛び立つための速度とは？

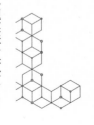

かつては荒唐無稽だった火星への移住などという話もだんだん現実味を帯びてきた昨今。宇宙へと飛ばすロケットの打ち上げ光景も珍しいものではなくなってきた。

ロケットの打ち上げといえば、淡々と刻まれるカウントダウンと轟音、そして沸き上がる煙の中、まっすぐに上昇していく姿がすぐさま思い浮かぶが、いったいどのくらいのスピードが出ているのかご存じだろうか。

その前にロケットが打ち上がるしくみをおさらいしておこう。

ロケットが浮上する原理は、風船を膨らませてパッと手を離せば、空気が出るのとは反対側へピューっと飛んでいくのと同じだ。つまり、発射時に地面に向かって大量の燃料を燃やすことで発生するガスのパワーでロケットは空に向かって突き進むことができる。

空中では燃料を燃やす酸素がなくなるので、あらかじめ酸化剤を含んだ推進剤を積み込み、加速を維持する。推進剤は液体と固体の2種あるが、日本の主力ロケットである「H2A」や「H2B」は液体水素および酸素を使う液体燃料ロケットで、推進剤の性能を示す比推力が高いのが特徴だ。

さて、本題のスピードだが、ロケットはその目的によって必要な速度が異なってくる。たとえば人工衛星を地球を周回する軌道にのせる場合、それに必要な速度は秒速7・9キロメートル（時速2万8440キロメートル）、さらに、地球の引力を脱出して月や惑星に向かうには、秒速11・2キロメートル（時速4万320キロメートル）もの速度が必要とされる。

ちなみに国際宇宙ステーション（ISS）は、地球からおよそ400キロメートル離れているが、2020年、ロシアのソユーズは地球からわずか3時間3分でISSに到着している。

400キロメートルとは、日本でいえば東京からだいたい兵庫あたりまでで、距離だけでいえばそんなに遠いとも思えないが、真上に打ち上げたロケットを落下させずに軌道投入するには、このようなとてつもないスピードが必要なのだ。

諏訪湖の神秘「御神渡り」を科学的に検証すると……？

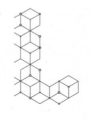

信州を代表する湖といえば諏訪湖だが、厳寒の冬、この湖では珍しい自然現象を目にすることができる。それが「諏訪湖の御神《おみ》渡り」だ。

これは、全面結氷した湖面の氷が裂け、その裂け目が山脈のようにせり上がる現象のことで、「御神渡り」は「神様が渡った跡」を意味する。

まさに、凍った湖面を何かが豪快に通り過ぎたようにも見える摩訶不思議な光景なのだが、ではなぜこのような現象が起こるのだろうか。

そもそも諏訪湖は冬になると凍りやすい自然条件にあり、寒さが厳しいと全面が結氷する。そしてさらに気温が下がっていくと、氷が収縮して湖面の氷に裂け目ができるのだ。

そして、気温が上がると今度は氷が膨張する。すると裂け目にできたまだ柔らかい新しい氷が押し合い、グググッとまるで山のようにせり上がるのである。

御神渡りを見るには、厳寒期の1～2月であること、最低気温がマイナス10度以下の日が数日続くこと、そしてその直後に気温が上がることなど、いくつかの気象条件を満たさなくてはならないが、近年は暖冬の影響でそもそも湖が全面結氷しないことが多い。そのため、よりレアな現象になっているのだ。

地元ではこの現象は神事と結びついており、諏訪市内にある八剱神社が司っている。御神渡りが現れたかどうかの判定もこの神社が行うため、こちらでは室町時代の1443（嘉吉3）年から578年もの間、一度も途切れることなく諏訪湖を観測してデータを取り続けているのだ。

御神渡りが認められれば、諏訪大社に伝えられ、さらに宮内庁、そして気象庁へと報告される。長年、書き留められたデータは貴重な観測史料として世界の科学研究者たちにも一目置かれているほどだ。

ちなみに、御神渡りと同じ現象は北海道の屈斜路湖などでもまれに見ることができる。いずれにせよ、この神秘的な冬の自然美を一生に一度は拝んでみたいものである。

サハラ砂漠よりも広い〝白い砂漠〟の正体とは？

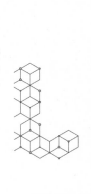

世界最大の砂漠といえば、思い浮かぶのはアフリカのサハラ砂漠だ。アフリカ大陸の北部に位置し、エジプト、モロッコなど11もの国にまたがるその面積はアフリカ大陸のおよそ3分の1、なんとアメリカ合衆国とほぼ同じ広さだという。

ところが、地球上にはサハラ砂漠よりもさらに広大な〝白い砂漠〟といわれる場所がある。

その場所とは、地球のもっとも南に位置し、地球上の氷の9割があるという南極大陸である。

南極大陸の広さは約1300万平方キロメートルと、サハラ砂漠のおよそ1・5倍。日本の面積の36倍もあるといえば、その大きさが伝わることだろう。

一般に砂漠とは、年間降雨量が200ミリメートル以下と、ほとんど雨が降らず、植物がほぼ育たない地域のことだ。

じつは、南極の内陸の降水量は1年間に50ミリメートルほど。南極といえば、途切れることなく吹雪が吹き荒れる様子を想像するかもしれないが、南極大陸の内陸は海からは遠すぎるため雲がほとんどなく、雨や雪は降らないのである。

また、平均2500メートルという分厚い氷で覆われているため、藻やコケの仲間などわずかな植物が生息するだけだ。南極には、まさに白い砂漠という呼び名にふさわしい、過酷な世界が広がっているのである。

ちなみに、南極は世界のどの国の領土でもなく、1959年に制定した南極条約で守られている。現在は日本やアメリカ、イギリスなど50以上の国が参加しているこの条約では、南緯60度より南側を南極地域として、その平和的な利用や各国の調査の協力などを定めている。

こうして、日本も白い砂漠の調査や研究を行えるのだ。

「いずれ太陽も寿命を迎えて燃え尽きる」と言われるが……？

地球から太陽までの距離は、およそ1億5000万キロメートルある。もしも新幹線で太陽をめざすなら50年以上はかかる計算だ。

それでも太陽は、地球に四季の変化をもたらすほどの強力な光を発している。そのエネルギーの源は水素である。

ところで、よく「太陽が燃える」というが、太陽で日々起きている現象は、地球でモノが燃えるのとはメカニズムがまったく異なる。たとえば木や紙が燃えるのは、それぞれの原子が酸素と結びついて起こる化学反応といえる。

しかし、太陽はガスの巨大なカタマリで、主に水素とヘリウムでできているためにそうした化学反応は起きないのだ。

太陽では水素の原子同士が結びつき、核融合反応を起こして光を出しているのである。その表面温度は6000度を超えるという。

では、太陽はその核融合によって水素を使い果たす日が来るのだろうか。

答えはYESだ。

とはいえ、太陽の直径は地球の約109倍、その重さは地球の約33万倍と巨大なので、水素が尽きるのは100年や200年先、というレベルの話ではない。あと50億年は光り続けることができるという計算結果が報告されている。

太陽の誕生は今から50億年前といわれているから、太陽の輝きは折り返し地点に来ているともいえよう。

水素が減り、核融合が弱まった太陽は、地球など周囲の星々を飲みこみながら今の100倍もの大きさにふくらみ、最終的には収縮して水素をほとんど含まない、地球ほどの大きさの星になる。

太陽の輝きが終わりを迎える頃、人類はどうなっているのだろうか。

5

ついその先が
聞きたくなる「脳」と
「からだ」の話とは？

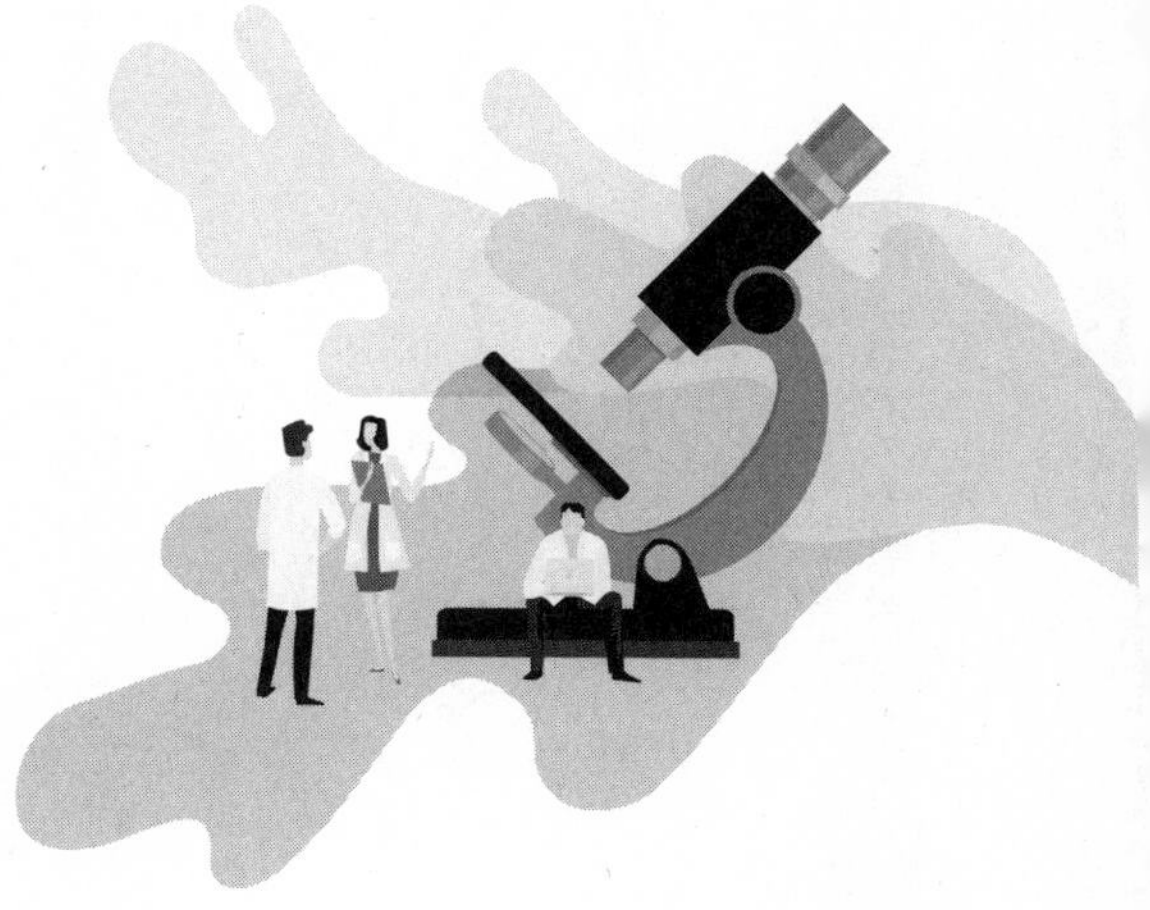

人間の骨にはすべて名前がついているって本当?

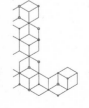

人間の体にはどれくらいの数の骨があるのだろうか。一般的には、約200個くらいだといわれているが、「約」がつくのはなぜかといえば、年齢によって骨の数が変わるからだ。

生まれたばかりの赤ん坊には、だいたい305個の骨がある。しかし成長するにつれてそれまで離れ離れだった骨がくっつき、1本の骨になる部分がある。たとえば腰の「骨盤」や胸の「胸骨」がそうだし、手足の骨の中にもそういうものがある。

つまり、年齢によって骨の数は異なるので、成人の場合のおおよその数として約200個ということになっているのである。

もちろん、すべての骨には名前がつけられている。骨の中でもっとも大きいのは、太ももにある「大腿骨」で、反対にもっとも小さいのは耳の中にある「耳小骨」である。

さらに、赤ちゃんのおでこをよく見ていると、おでこの上の部分が、呼吸に合わせて少しへこむことがある。じつはここには、頭蓋骨がくっつく前に隙間があり、それが動いているのだが、この隙間には「ひよめき」という名前がついている。

人間は片方の鼻の穴だけで呼吸しているって本当？

大きく息を吸って、吐いて、深呼吸をするとき、誰もが鼻の穴から思いきり空気を吸い込んでいる。ふたつの鼻の穴にいっぱいの空気が入ってくるのはすがすがしい気分だ。

ところが実際には、ふたつの鼻の穴からではなく、どちらかひとつの穴でだけ空気が出入りしているといったら驚くだろうか。

鼻の奥の、空気の通り道の途中に「鼻甲介《びこうかい》」と呼ばれる部分がある。この鼻甲介は2～3時間おきに左右で膨張を繰り返し、それによって無意識のうちに右か左かどちらか片方の穴だけから息を吸ったり吐いたりしているのである。

この現象を「交代制鼻閉」という。ときどき深呼吸をして、自分は今、どっちの鼻の穴で空気の出し入れをしているかを確認してみてほしい。

なぜこのような現象が起こるかについては、一度に大量の空気が気管に流れ込まないようにするため、あるいは左右の穴で空気の流れを変えることにより匂いに対して敏感になるためという説があるが、正確にはまだわかっていない。

なお、緊急事態などで多くの酸素を必要とする状況では左右両方の穴を使うこともある。

クサそうに見えて、実は「汗」は無味無臭!?

汗の匂いといえば、夏はもちろん、季節を問わず嫌われるものだ。汗臭さはいやな匂いの代表のひとつでもある。あんな匂いのするものが自分の体からじわじわとしみ出してくると思うと憂鬱になる人もいるだろう。

しかし本来、汗は無臭である。匂いはしないのだ。

汗が出てくる穴を「汗腺」というが、汗腺には2種類ある。「エクリン腺」と「アポクリン腺」である。

ふつう「汗をかく」という場合には、エクリン腺から出る汗のことをさしている。エクリン腺はほぼ全身にくまなくあり、その腺体は肉眼では見えないほど小さい。

これには理由がある。エクリン腺からは小粒の汗がつねに出やすくなっており、それによって体温の調節が効率よく行われているのだ。

一方、アポクリン腺は体の限られた部分だけにある。おもに脇の下、外耳部、乳輪、へその周辺、肛門部などだが、その数には個人差がある。

腺体はエクリン腺よりもかなり大きく、ひとつのアポクリン腺から出る汗の量もエクリン腺より多い。これは、アポクリン腺には、その人に特有の体臭を生み出す働きがあるからだ。

動物にとって異性をひきつけることは種の保存のために重要である。このアポクリン腺から出る汗は、その役目を担っているのである。

逆にいえば、体温調節をするためにエクリン腺から出る汗には匂いは必要ないのだ。だから無臭なのである。じつは99パーセントが水で、それ以外の成分もほとんどが塩分で、実際に匂いはない。

では、なぜ暑いときに出る汗を人は「汗臭い」と感じるのだろうか。

それはエクリン腺から出た汗が、皮膚の表面で垢や皮脂などと混じり合い、細菌が分解することによりニオイ物質が発生するからである。それを人は「汗のにおい」として感じているわけで、けっして「汗臭い」というわけではないのだ。

人間の鼻は1兆種類の匂いを嗅ぎ分けることができる⁉

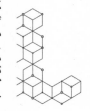

人間の五感にどれくらいの能力があるのかを正確に知ることはむずかしいが、多くの研究者は、人間の目は数百万の色を識別することができ、耳は約50万種類の音

を聞き分けることができると考えている。

では、鼻に関してはどうだろうか。何種類の匂いを嗅ぎ分けることができるだろうか。

動物にとって嗅覚は重要である。食べ物を目の前にして、食べてもいいものか、毒物などが含まれていないか、あるいは腐敗していないかを知るには匂いが重要な手がかりになる。それもあって、五感の中でもとくに嗅覚は記憶に残る期間が最も長いといわれる。

そんな鼻は、果たしていくつの匂いを識別できるかというと、長い間にわたって約1万種類の匂いが判別できるといわれてきた。

ところが、2014年の科学専門誌『サイエンス』に人間の嗅覚の識別能力に関する実験論文が発表された。

それは、128種類の匂いの分子の中から混合したサンプルをつくり、さらにその128種類に10種類、20種類、30種類を混ぜたサンプルをつくって被験者に嗅がせるという実験だった。

被験者はそのサンプル（3本）の中から、ひとつだけ違和感のあるものを選ぶという形で行われた。

この実験の結果、従来考えられてきた約1万種類などではなく、もっとはるかに多くの匂いを嗅ぎ分ける能力があると結論づけられたのだ。

それだけではなく、なんと1兆種類もの匂いを識別する能力がある可能性も指摘されたのである。

ただ、1兆という数を実験的に確認して証明するのはかなり無理がある。しかし人間の匂いセンサーの分子は400種類あることがわかっている。それを組み合わせることにより嗅ぎ分けることができる匂いは、計算上は約1兆種類になるということだ。

もちろんこれは、あくまでも理論上の数字ということになる。

有機物質の中で匂いがある物質の数は限られており、その組み合わせによってできる匂いの数は数十万種類といわれる。

つまり、人間に1兆種類の匂いを嗅ぎ分けられる能力があったとしても、匂いそのものは、それほどたくさんは存在していないということだ。

体重が1キログラム増えると、必要になる血管の長さは？

これ以上は太りたくない、なんとかして減量したい。そう思っている人は少なくないだろう。とくに中年以上になると、1キログラムでも増えると成人病予備軍になる可能性が大きくなる。体重増加は、いろいろな面で身体への負担になるわけだ。ところで、体重が増えると、当然のことながら血管も長くなる。増えた分の身体を支えるためには、それまでよりも多くの血液が必要となるからだ。

では、体重が1キログラム増えると、血管はどれくらい伸びるのだろうか。これはいろいろな説や考え方があるが、一般的には新たに約3キロメートルの血管がつくられるといわれている。

成人の体内にある血管を毛細血管に至るまですべてつなぐと、約10万キロメートルにもなる。地球をおよそ2周半もする長さだ。

それに比べると3キロメートルの増加はたいしたことがないようにも思えるが、じつはそうでもない。思いがけなく深刻な事態につながることがあるからだ。

そもそもなぜ、体重が増えることで血管も長くなるのだろうか。血液には、身体の中に取り込まれた脂肪細胞が血管の中で酸素と栄養の供給を受け、老廃物を体外に出すという重要な働きがある。

1キログラム体重が増えることにより、当然、体内に入ってくる脂肪細胞も増える。だから、その脂肪細胞を確実に取り囲むために、血管を伸ばすことになるのだ。つまり、体重が増えれば増えるほど、長い血管が必要になるのである。

しかし血管が長くなれば、心臓はそれだけ多くの血液をつくって送り出さなければならない。だから体重がどんどん増えれば、心臓の負担も確実に大きくなる。そうなると、心臓疾患はもちろん、動脈硬化、脳梗塞、高血圧などの要因が増えることになるのだ。

体重が増えることとは、単に体重だけの問題ではない。じつは心臓への負担が大きくなるというリスクにつながるのだ。

「手に汗握る」を科学的に説明すると？

気温が高くなって「暑い」と感じなくても、辛いものを食べたときや、高いところに昇って下を見たとき、車が急接近してヒヤッとしたときなどに、人は手の平に汗をかく。スポーツ観戦をしているときにも手に汗を握る場面はいくらでもある。気がつけば、手の平が汗でベットリという人もいるだろう。

なぜ人は手の平に汗をかくのかというと、暑いときに出る汗は、体温を下げるためであり、これは汗の本来の役目でもある。

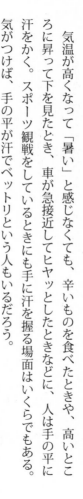

では、スポーツ観戦や恐怖を感じたときに出る汗は何だろうか。これは極度のストレスが原因で出る汗であり、「精神的発汗」といわれる。その理由をたどると、じつは人類の進化の過程にまでたどり着く。

大昔、人が獲物を狩ることで食糧を手に入れていた時代、動物などに襲われたりして、木に登って身を守ることもあった。

そんなとき、手足が汗でぬれていると枝をつかみやすいし、足元もすべりにくくなって安定する。つまり、汗をかくことで自分の身を守っていたのだ。そのときの習性が、現在も「手に汗を握る」という反応となって人体に残っているのだ。

もちろんこれはひとつの説だが、手が汗まみれになるのは、けっして悪いことでも恥ずかしいことでもない。人類としての証しなのである。

「面の皮が厚い」を科学的に説明すると？

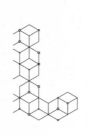

ずうずうしくて厚かましい人のことを「ツラの皮が厚い」という。あまり言われたくない言葉だが、「厚顔無恥」も同じような意味だ。どうも、ずうずうしい人には顔の皮膚が厚いというイメージがあるようだ。
では実際には、人間の皮膚というのはどれくらいの厚さなのだろうか。本当にツ

ラの皮は分厚いのだろうか。

人間の皮膚は、表面から「表皮」「真皮」「皮下組織」という3層に分かれている。厚さは身体のどの部分かによって異なり、およそ0・6ミリから3ミリの幅に収まっている。全身で平均すると、だいたい厚さ1・4ミリほどだ。

皮膚はひとつの「器官」であり、人体を守るカバーのような役目を担っている。もっとも広くて大きな器官であり、大人ひとりだと平均で1万6千平方センチメートル、およそ畳1畳分の広さにもなる。皮膚だけで重さは約4キログラム、ペットボトル2本分に相当するのだ。皮膚だけでもかなり重いものをつねに身にまとって行動しているのだ。

さて、肝心の厚さだが、もっとも厚いのは顔ではなく頭頂部だ。およそ3ミリもある。なんといっても重要な部分なので、脳を守るためにそれだけ厚みがあるのだ。逆に一番薄いのはまぶたで、0・6ミリという薄い皮膚で眼球を守っている。

つまり、顔の皮が一番分厚いわけではなく、ツラの皮が厚いとはあくまでもイメージなのだ。むしろ、顔の皮膚は薄いほうであり、疲れてむくんだり、マッサージで小顔になったりするのは、皮膚が薄いから影響を受けやすいということなのだ。

天気が悪いと、体調がすぐれなくなるカラクリは？

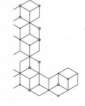

「今日は低気圧だから頭痛がひどい……」。そうやって頭を押さえている人を見かけることはないだろうか。雨やくもりの日、つまり低気圧の日は、頭痛やめまいがしたり耳鳴りがするという人は珍しくない。人によっては首が痛むこともあり、台風が接近しているときにとくにひどくなるケースもある。

この現象は「天気痛」とも呼ばれるが、いったいなぜ起こるのか。

この頭痛は交感神経が優位になり、脳の血管が拡張することが原因で起こる。また首の痛みは、気圧の変化によって内耳や交感神経が刺激を受け、首がその痛みを感じることで起こる。耳鳴りや吐き気などもこれが原因である。

こういった痛みや体調不良は気圧や湿度の変化によるものなので、それを防ぎ、対処するには、エアコンや加湿器によって室内の気温や湿度をコントロールするのが望ましい。もちろん、なるべく外出は控えたほうがいい。

どうしても頭痛が激しいときには安静にして、痛い部分をタオルで冷やしたり、暗い部屋で横になって休むと改善されることがある。

また、肩こりが激しい場合は、ストレッチやマッサージをすることで血流をよくすると治ることがある。これはふだんからやっておくと予防にもなる。いずれにしてもあまり無理に動かず、体を休めることが大切である。

気圧と体調は、一見何の関係もないように思えるが、人間の身体は外界の影響を如実に受けるものなのである。

フィギュアスケートの「スピン」を支える物理法則とは？

冬季オリンピックの華といえばフィギュアスケートだ。トップアスリートたちの華麗な演技は、観るものを魅了してやまない。

なかでもプログラムの終盤に採り入れられることが多い技がスピンだ。回転時の姿勢の違いで大きく分けるとシット系、キャメル系、アップライト系のスピンがあり、それぞれに多くのバリエーションがある。

たとえば、人気、実力ともに世界トップの羽生結弦選手は、体の柔らかさが必要とされることから男子選手が取り入れることが珍しいアップライト系のビールマンスピンを難なくこなす。

どのスタイルでも目にもとまらぬ高速で回転するスピンだが、この回転を可能にしているのが「角運動量保存則」という物理法則だ。

この角運動量保存則を簡単に説明すると、回転する物体の半径が変わると回転速度が速くなったり遅くなったりするという法則だ。半径が大きいほど回転速度は遅くなり、小さいほど速くなる。

フィギュアスケートのスピンの場合、回り始めるときは腕を大きく伸ばしている。回転の途中で腕を縮めると、回転速度が一気に速くなるのだ。つまり、体の半径を小さくすることで、あの高速スピンを可能にしているのである。

この原理は、体操競技にも当てはめることができる。床運動での回転技や鉄棒などでは、回転のスピードが技の完成度に大きく影響する。身長が高い選手は手足も長く、回転の「半径」が長いために速度が上がりにくいのだ。そのため、体の大きな選手は体操競技では不利になるともいわれている。

近年、スポーツの世界では、スポーツ科学の考え方を取り入れるのが大きな流れだ。物理学や科学の考え方を理解して指導や練習を行うことが、よりよい成果を上げるというのが常識になっているのである。

誰もが一度は体験している「ジャーキング」って何？

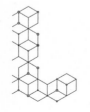

長い一日が終わり、ようやく布団に入って眠りについたと思ったら、ふいに体がビクッと動いて目が覚めてしまった……。誰もが一度は経験しているであろうこの現象は「ジャーキング」と呼ばれるものだ。

ジャーキングが起きやすい場面はいくつかある。まず、移動中の乗り物の座席や、勉強中のデスクなどで、少々不自然な姿勢でウトウトと居眠りしてしまったときだ。また、横になって眠れていたとしても、疲れている日はその寝入りばなに起きやすい。

今のところその原因ははっきりとはわかっていないが、一説によると、体がリラックスできていないまま眠ってしまったとき、体勢を直そうと筋肉を収縮させる信号を脳が誤って送ってしまうためだという。

そういえば、穴に落ちる夢を見たときにもジャーキングが起きて目を覚ましてしまったことはないだろうか。これも、穴に落ちたと錯覚した脳から信号が送られている、と思えば納得できる。

ジャーキングは不随意運動と呼ばれる、自分の意思とは関係なく体に起きる運動の一種で、しゃっくりなどもこの不随意運動になる。

ちなみに、しゃっくりに肺の下にある横隔膜のけいれんが関係していることは知られているが、ジャーキング同様、しゃっくりが起きる正確な理由は明らかになっていない。人の体は、まだまだ多くの謎を秘めているのだ。

人間の肺を広げると、テニスコート半面の広さ⁉

平均して1分間に15回程度。これは、安静にしているときの人の呼吸の回数だ。そして、その1回の呼吸で500ミリリットルほどの空気を肺に吸い込んでいるという。1日にすると20キログラムもの重さになる計算だ。

空気の重さなどふだんは感じることがないから、20キログラムの空気といっても正直どれほどの量になるか想像もつかない。

そして、それだけ大量の空気を日夜休むことなく取り込んでいる肺は、たいへん複雑な構造になっている。

肺は、直径0・1ミリメートルほどの肺胞という小さな袋が集まっていて、その数は左右の肺を合わせて3億個とも6億個ともいわれている。

肺胞では二酸化炭素と酸素の交換が行われている。そして、空気を吸い込んだ状態ですべての肺胞を広げたとすると、その大きさはおよそ100平方メートルにもなる。これはテニスコート半面ほどの大きさだ。

それだけのサイズのものが、人の胸の中にコンパクトに収まっていることにあらためて驚かされる。

ちなみに、呼吸によって空気から取りこまれた酸素は、毛細血管を通じて肺胞から血液中に送りこまれる。反対に、全身をめぐった血液は肺胞に二酸化炭素を出し、息を吐き出すとこの二酸化炭素が体外に放出されるしくみだ。

このように人が命を維持できているのは、肺の中にある無数の小さな袋のおかげともいえるのだ。

手と足にできる「マメ」と「タコ」の違いをひと言で言うと？

久しぶりにゴルフクラブや野球のバットを握ったら、手の平にマメができ、皮がむけて痛くなったというのはよくある話だ。

また、長年ボールペンや鉛筆を使い続けたことで指にペンダコができている人も少なくないだろう。手の平や足の裏にできるこのマメとタコ、いったい何が違うのか。

まず、医学的にいうとマメは「外傷性水疱」、タコは「胼胝《べんち》」という。いずれも手や足など皮膚のある一ヵ所に刺激や摩擦が加わることでできる。

マメはその名前のとおり水疱、つまり水ぶくれの一種だ。皮膚に短期間で強い摩擦が加わり、体内の水分が集まってできる。慣れない靴を履いたときに足にできる靴ずれも同じくマメになる。

マメが痛いのは、その水疱が破れて皮膚の中の真皮がむき出しになるときだ。

一方のタコは、皮膚の防御反応である。同じ場所に何度も摩擦や力が加わり、皮膚の一番外側にある角質が硬く、厚くなったものだ。とくに乾燥した皮膚にできやすい。

タコは角質が硬くなるだけでそれほど痛みはないといわれていて、おなじみのペンダコや、正座を続けたことによる座りダコなどもある。

マメもタコも、それが起こりそうな部分の刺激を抑えることが肝心だ。とくに痛みを伴うマメの対策には、専用の手袋や市販のばんそうこう、パッドなども利用するといいだろう。

あの熱いサウナで、それでも火傷しないのはなぜ？

テレビドラマも放送されるなど若者の利用者もグンと増えているサウナだが、サウナでは高温のサウナルームに入って心地よく汗を流せるが、室内の温度計を見ると80度から100度近くになっているときがある。

100度といえば、これがもし水なら沸騰して熱湯になっている温度だ。人が入るどころか、ちょっと手をつけることもできないだろう。

しかし、それがサウナとなれば話は別である。高温の部屋の中で長時間過ごしてもなぜ、火傷をせずにいられるのだろうか。

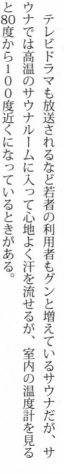

そこには「空気は熱を伝えにくい」という特性も関係している。たとえば、28度の温度計を40度のお湯に入れ、温度計の目盛りが40度になるまでに約０・５秒かかるとすると、サウナでは約３００秒かかってようやく40度に達するという。それほど空気は熱を伝えにくいのだ。サウナでは、見えない空気のバリアで人の皮膚は守られているといえる。

また、日本のサウナはフィンランド式といわれる乾式サウナが一般的だ。この乾式サウナは、１００度近い室温に対して湿度は10パーセントほどとかなり高温低湿の設定になっている。

もしも湿度が高い、つまり室内に水分が多ければ、それだけ熱は人の皮膚にも速く、高温で伝わってしまう。この湿度の低さも、サウナを火傷せずに利用できる理由のひとつである。

一方、ミストサウナやスチームサウナなどの湿式のサウナは、湿度は80から１００パーセントなのに対して、室温は高くても40から60度程度。利用者の安全のため、こちらは乾式サウナとは正反対の低温高湿の設定になっているのだ。

消毒用アルコールの〝ヒンヤリ感〟はどこからくるのか？

予防注射や採血をすると聞くと、いくつになっても身構えてしまうものだ。そして、つい思い出してしまうのが、注射の前に消毒用のアルコールをひたした綿で皮膚を拭かれたときのヒンヤリとしたあの感覚である。

こうしてアルコールで拭かれると冷たく感じるのは、気化熱が関係している。

まず、物質は温度や圧力により固体、液体、気体のいずれかの状態になり、これを「物質の三態」という。蒸発しやすい液体であるアルコールは、皮膚に塗られた瞬間からどんどん蒸発して気体に変わっていく。

液体はこうして気体に変化するとき、周囲の熱を吸収する。つまり、皮膚は蒸発するアルコールによって温度を奪われ、この結果として冷たく感じるというわけだ。

このように液体が蒸発、つまり気化するときに吸収する熱を「気化熱」という。

たとえば、風呂上がりには体をよく拭かないとみるみる冷えてしまうが、これも同様に気化熱によるものだ。濡れたままでいると体についた水滴が気化して、それと同時にせっかく温まった体から熱をどんどん奪っていくのである。

また、身近なところでは夏に大活躍するエアコンが室内を冷やすのも、この気化熱の働きを利用したものだ。

エアコンは、室内機と室外機をつなぐパイプの中を冷媒が気体になったり液体になったりしながら絶えず巡っている。この冷媒が室内の熱を吸収して気化するときに部屋が涼しくなるのだ。

結局、紫外線はどのくらいダメなものなのか？

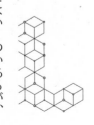

結論から言ってしまえば、紫外線が人間の体に与える影響にはいくつかあるが、それがメリットにもなりデメリットにもなる。過剰に浴びることも、悪者として完

全に避けてしまうことにもデメリットがあるのだ。

紫外線が人体に及ぼす影響のうち、もっとも警戒するべきなのがＤＮＡを傷つけるというものだ。紫外線を受けるとＤＮＡに含まれる遺伝子がその働きを失ったり、変化してしまったりすることがある。これが、炎症や細胞のがん化につながるのだ。

逆に人体に与えるメリットには、体内のビタミンＤの生成を助けるという働きがある。ビタミンＤはカルシウムの吸収に欠かせないもので、皮膚にあるプロビタミンＤは紫外線の影響を受けるとビタミンＤに変化するのだ。

ビタミンＤはカルシウムの吸収を促す働きをする大切な栄養素のひとつで、カルシウムが不足すると、骨の形成不全や骨粗しょう症が引き起こされてしまうのである。

また、紫外線は強力な殺菌作用を持つ。日差しの強い日に洗濯した衣類や布団を天日干しすれば、雑菌の多くは死滅してしまう。医療の現場などでも、その殺菌作用は役立てられている。紫外線は曇りの日や日陰でも降り注いでいるため、日焼けを避けつつ短時間外に出るだけで十分な効果があるという。

6

「身のまわり」のことを
"理系感覚"で
調べてみよう

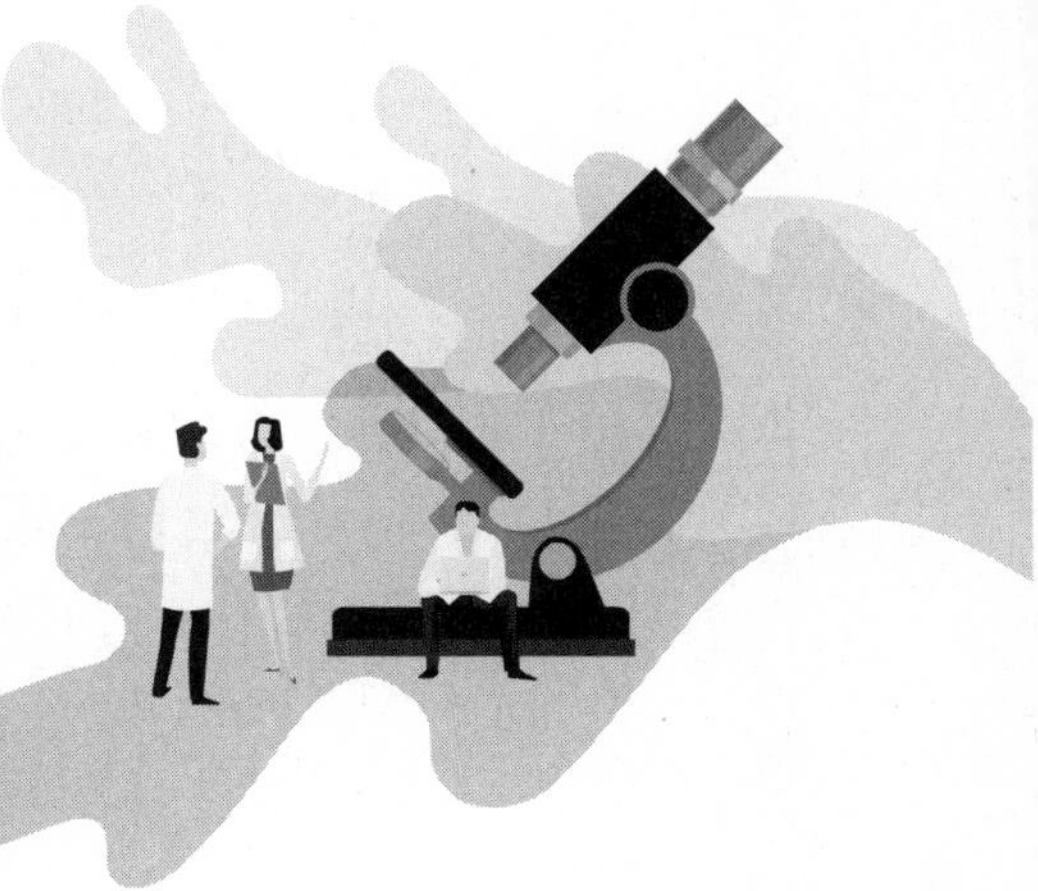

洗濯物の生乾きのイヤな匂いの正体は？

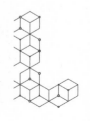

天気が悪いのに洗濯してしまい、部屋の中に干しておいたら生乾きの衣類からいやな匂いがし始める。まるで雑巾のような不快な匂いなのだが、あの匂いはいったい何なのだろうか。

多くの人は、衣類の繊維の間に残っている菌が匂いの原因だと思っている。あるいは、洗濯機の中の雑菌のせいだと思っている人もいる。しかし、じつはモラクセラ菌という菌がおもな原因なのである。

モラクセラ菌はけっして特殊な菌ではない。ヒトや動物の口、鼻の中の粘膜にもたくさん存在する、いわゆる常在菌である。

とはいえ、モラクセラ菌そのものは匂わない。この菌が洗濯物に付着し、増殖したあとに衣類に残っている水分や皮脂などを栄養分として取り入れ、フンのような

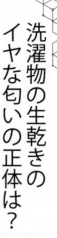

ものを出す。それが、あのいやな匂いの正体なのだ。

やっかいなことに、モラクセラ菌は乾燥や紫外線に強いので、一度増え始めると生乾きの衣類でどんどん増えていくのだ。放っておけばいつまでも匂う。

対処法はアイロンをかけることである。この菌は60度以上の熱によって繁殖できなくなるので、脱水したあとにアイロンをかけることで繁殖を防ぎ、匂いがしないようになるのだ。

コンクリートとアスファルトの違いはズバリどこ？

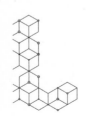

コンクリートとアスファルトの違いは何だろう。いきなり質問されると返答に窮してしまう人も多いはずだ。そもそも両者は違うものなのか。
答えは、もちろん違う。
コンクリートは、セメントに砂や砂利、水を調合して混ぜ合わせた接着剤の総称である。セメントとは水や液体などで水和《すいわ》（物質が水に溶けること）したり、重合《じゅうごう》（2つ以上の物質が化学的に結合すること）したりすることで固まる粉体のことをさす。膠《にかわ》、石膏、石灰などがこれにあたるが、じつは、アスファルトもここに含まれているのだ。

一方のアスファルトは、炭化水素を主成分とする黒色の固体、または半固体、または粘性の高い液体で、熱を加えると溶解する性質がある。一般的にアスファルトといえば、これに砂や砂利、砕石を結合させたものをさす。

ようするに両者は、原料や固め方など、根本的にまったく別のものなのである。

コンクリートは広くいろいろな場所で使われているが、薬品やガソリンがこぼれるとボロボロになることもあって使いにくい。

アスファルトはおもに道路の舗装に使われており、つなぎ目が少なく、その分走行音も少なくて静かだ。ただし、冷めてしまうと固まって使えなくなる。現場に運ぶまでに冷めてしまうこともあり、使いにくい。

それぞれの用途に応じて使い分けられているのである。

そもそもガラスが透き通っているのはなぜ？

ガラスは間違いなく固体なのに、なぜ向こう側が透けて見えるのか。あまりにも当たり前すぎる疑問だが、考えてみれば不思議だ。

それは、ガラスの原料と関係がある。ガラスのおもな原料は「珪砂《けいしゃ》」という砂の一種である。珪砂はもともと、透明度の高い水晶と同じ成分でできている。それがガラスが透明であることのカギになるのだ。

ガラスをつくるときには、珪砂を高温でドロドロに溶かして液体にする。そして、その液体を冷やして再び固めると、最初の結晶構造が崩れてしまう。

崩れたということは、結晶構造が破壊されたということだ。そうなると、結晶と結晶をつないでいた境目がなくなってしまう。だから、光はそこにできた隙間を通り抜けることができるのである。

つまり、人がガラスを見て「透明だ」と思うのは、水晶と水晶の間を光がすり抜けているからなのだ。

脱臭剤、消臭剤、芳香剤の違いはどこにある?

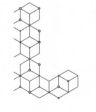

清潔志向の高まりで「匂いが気になる」という人は多い。ドラッグストアには匂いを除去するためのさまざまな商品が並び、巨大ビジネスに成長している。

ところで匂いを消すための商品には、脱臭剤、消臭剤、芳香剤の3つがあるが、それらは何が違うのだろうか。

匂いとは、もともと匂いの元になる成分が空気中に漂っていることから発するものだが、脱臭剤と消臭剤とでは、その匂いを感じないようにするための方法が異なるのだ。

まず脱臭剤は、活性炭や活性粘土などの吸着性を利用することで、匂いの元になる成分をそれらに吸着させて包み込んで消してしまう。いってみれば、匂いを物理的に消し去るという方法だ。

だから、匂いを発する成分であれば、どんなものでも無作為に取り除いてしまう。つまり、人が「この匂いは残したい」と思うようないい匂いの成分にも効果を発揮する。言い換えれば、消したい、あるいはイヤな匂いを選べないという欠点がある。

次に消臭剤は、匂いの元になる成分を化学反応によって中和させ、匂いがしなくなる無臭成分に変えてしまうことで消臭効果を発揮する。

ただし、特定の悪臭原因物質には効果があるが、なかには効果を発揮しない物質もある。そのような物質が空気中を漂っている場合には効果がないのだ。

また芳香剤は、いい匂いを自ら発することで、不快な匂いを感じなくするためのものである。だから、匂いの原因そのものは残る。

もしもそれが有毒性のものであれば、その毒性は残留したままということもあり得るので注意しなければならない。

消したい、嗅ぎたくない匂いがある場合は、その匂いが発生した原因を突き止めて、それにふさわしい消臭方法を選ぶことが肝心である。

便利な防水スプレーが、気づけば凶器になる!?

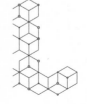

日常生活を便利にするグッズは数限りなく存在するが、雨の日の外出で役に立つのが防水スプレーや撥水スプレーだ。靴やカバン、衣類にスプレーすれば、ある程度雨をはじくことができる。

防水スプレーや撥水スプレーの成分を大きく分けると、フッ素系樹脂とシリコン系樹脂の2つがある。フッ素系樹脂はフライパンなどの表面加工にも使われているもので、油を使わなくても食材がフライパンの表面にくっつかないという優れモノだ。耐熱や耐薬品、電気絶縁性などに優れており、自動車や航空機、半導体から家庭用品まで、その用途は多様だ。

一方のシリコン系樹脂も調理器具から生活雑貨、医療から工業まで幅広く用いられる素材であり、柔らかく滑らかな表面で、耐熱、表面張力の低さ、離型性、電気絶縁性などに優れている。

これらを溶剤で細かい粒子にして可燃性の石油系ガスでスプレーすると、衣類などの表面に膜をつくることができる。その効果で、雨粒をはじくことができるのである。

しかし、これらのスプレーは使用方法を間違えればたいへん危険な道具であることを忘れてはならない。

フッ素系樹脂やシリコン系樹脂の細かい粒子を誤って吸い込んでしまうと、体内で空気と共に肺に入って、肺細胞の表面に膜のように付着する。その結果、肺細胞にあるヘモグロビンに酸素が届けられなくなってしまうのだ。どんなに息を吸って酸素を取り込んでも、それが細胞に行き渡らないため細胞が窒息してしまうのである。

吸い込む量によって体への影響は異なるが、ひどい場合は呼吸困難になり意識も消失してしまう緊急事態に陥り、死亡事故にもつながりかねない。

そのため、スプレー缶には必ず、直接吸い込まないことや換気の良い場所で使用する、子どもが使用しないといった警告が記されている。

また、スプレー材として使用されている石油系ガスは可燃性で、火気厳禁なのは当然のことだ。

近年でも石油系ガスを使用したスプレー缶の噴射による事故は後を絶たない。火炎放射器のようにして遊んだ若者が大けがをするといった事故も発生している。身近な生活雑貨であっても、使い方を一歩間違えれば大事故につながるということを意識しておかなければならない。

「羽根のない扇風機」はどうして風が起こせるの？

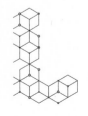

生活家電にも実用性だけでなく見た目のスタイリッシュさが求められるのが昨今の風潮だ。そのニーズにバッチリはまったもののひとつに「羽根のない扇風機」が挙げられる。

扇風機といえば羽根が回転して風を発生させるものが一般的だが、不思議なことに円、もしくは楕円形の枠から送風されるのが羽根のない扇風機の構造だ。羽根もない空洞から風が吹いてくるのが不思議な光景だが、そのしくみはじつに単純で、枠の下の胴体部分に羽根を内蔵しているのである。

多くの製品の場合、胴体には小さな穴がいくつも開いている。そこから空気を扇風機内部に取り込んで、内部にある羽根の働きによって上部にある枠に送られる。枠には細いスリットがあり、内部で押し上げられた空気はそこから放出されて風を起こしているのだ。

この分野をけん引する大手メーカーのダイソン社で用いられているのは、エアマルチプライアーテクノロジーという技術だ。本体で取り込んだ空気を放出する際に起きる気圧の差を利用して周囲の空気の流れをつくることによって、最大で取り込んだ空気の15倍ほどの風量を生み出すことができるのだという。

大きな羽根をなくすことで製品自体の重量を軽くしたり、安全性を高められるなどのメリットも多い。子どもからお年寄りまで安心して使えるユニバーサルデザインという観点からも注目度の高い製品だといえるだろう。

「洗剤は多すぎても少なすぎてもダメ」って本当？

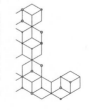

洗濯は家庭における家事の中で最も時間と手間がかかるものだ。洗濯用品は少しでも家事の負担を減らしたい消費者のニーズにこたえて進歩してきた。

家電量販店などで売られている家庭用の洗濯機は、縦型かドラム式かだけでなく、アイロン送風機能やドライクリーニング適用の衣類を洗えるもの、除菌など、その機能もバラエティーに富んだ製品が並んでいる。

同様に、洗濯に使われる洗濯洗剤も、がんこな汚れを落とすのは当たり前で、除菌、消臭、香りが長く続くなど、どれを選べばいいのか迷うほどのラインナップだ。

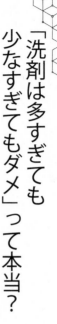

しかし、洗濯の最大の目的である「汚れを落とす」という視点で考えると、どんな洗剤を選んだとしても大切なのは適量を使用するということだ。

泥汚れなど、ひどく汚れたものを洗濯するときに、つい洗剤の量を多めに入れてしまうという人も多いだろう。しかし、洗剤の量は少なくても多くてもダメで、まさに使用する洗濯機に合わせた適量がベストなのだ。その理由を理解するためには、洗濯洗剤の成分の界面活性剤が、汚れを落とすしくみを知る必要がある。

界面活性剤は親水性の高い「親水基」と、油となじむ「親油基」という成分で構成されている。親水基は水を取り込んで衣類の繊維の隙間に入り込み、それぞれの作用で衣類についた汚れを引きはがし、親油基は洗濯物についた汚れの油分に取りつく。界面活性剤は一定の濃度になると親油基同士がくっついて、より油汚れを取り込みやすい塊になる性質があるのだが、洗剤の量が少なすぎるとこの機能が働かないため、汚れが落ちにくくなるのである。

面白いのは、界面活性剤の働きが高まるのは一定の濃度までで、それ以上になると洗浄能力は上がらなくなる。つまり、適量を超えていくら洗剤の量を増やしても汚れが落ちやすくなることはないのだ。

それどころか、洗剤が多くなったことですすぎに時間がかかり、結果的に無駄が多くなってしまう。まさに、過ぎたるは猶及ばざるが如しなのが洗濯洗剤の量なのである。

「消せるボールペン」のしくみを小学生に説明できる?

近ごろの文具の大ヒット商品のひとつが、消せるボールペンだ。テストの採点作業や仕事の書類の修正など、赤い字を書き込むことが多いシーンでは、赤字を消して書き直せるという点が修正ペンなどを使う手間を省いた。

しかも、色分けした書き込みも消すことができるので、たとえば手帳はアナログ派という人にとっても予定が変更するたびに書き直せるため手放せない製品だろう。

消しゴムを使って黒鉛をはがしとる鉛筆とは違って、消せるボールペンはインク自体を取り除いているわけではない。温度の変化によって色が変わるインクを利用して「見えなく」しているのだ。

消せるボールペンは、本体の頭についているラバー部分でインクをこすって消すしくみになっている。

ラバー部分でこするときの温度は、だいたい60度を超えるとされており、インクが消える温度もそれくらいに設定されている。付属のラバーでなくても、何かでこすって設定温度を超えればインクは消えてしまうのだ。

この特性を考えれば、こすらなくてもインクが消えてしまうことがあるのを想像できるだろう。たとえば、夏の駐車場で高温になる車内に置いておけば、書いてあったはずの文字が消えてしまうという事態が起きてしまうのだ。

いったん消えたインクは、温度を下げても再現することはできない。便利な文房具ではあるが、その特性を知って管理に気をつけないと、せっかくの作業が水の泡などという事態にもなりかねないので注意しておきたい。

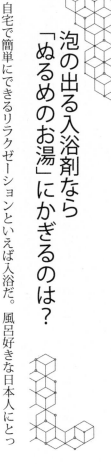

泡の出る入浴剤なら「ぬるめのお湯」にかぎるのは？

自宅で簡単にできるリラクゼーションといえば入浴だ。風呂好きな日本人にとって、バスタイムは一日の終わりに心から癒される至福の時間である。

入浴のお供として真っ先に浮かぶのは、入浴剤だ。さまざまな色や香り、ものによっては生薬やハーブなどが配合してあり、好みのものを見つけるのも楽しい。

その中でも人気が高いのが、炭酸ガスで発泡するタイプの製品だ。湯船に細かい泡が立っているだけで、なんだか温まるような気になるし、実際、血行促進効果や温熱効果を謳うものも多い。

炭酸入浴剤を使うときは、一緒に泡の感触も楽しみたくて入浴と同時に使用する人も多いだろう。しかし、これは入浴剤の効果を高めるという点から見れば間違っている。

炭酸入浴剤の血行促進効果は、成分である二酸化炭素の働きによるものだ。二酸化炭素はお湯に溶けて皮膚から体内に吸収される。体内の二酸化炭素量が増えたことによって酸素の循環を促進するようにという指令が脳から発せられ、血管が拡張して全身の血行が促進されるのである。

二酸化炭素がお湯に溶け切るのは、入浴剤の発泡が終わってからだ。つまり、泡が出ている状態で入浴しても二酸化炭素の水中濃度は高まりきっておらず、最大の効果を得ることはできないのである。

また、二酸化炭素はあまり温度が高いと溶けにくいという性質を持っている。炭酸入浴剤を使用して入浴するなら、ぬるめの温度設定がおすすめだ。

パチパチとした発泡に癒されるという場合もあるだろうからあまり神経質に考える必要はないが、覚えておいてソンはない知識だ。

いまどき「光触媒技術」が注目を集めるワケは？

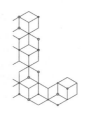

新型コロナウイルス感染症の収束が見えないなか、不特定多数の人が訪れる場所や乗り物では、人が触れるところを小まめにアルコール消毒するのが当たり前の光景になっている。

しかし、路線バスや電車の車内などを小まめにアルコールで拭いて回るのには時間がかかるし、人手を増やすにも限界がある。

そこで注目されているのが、光が当たるだけでウイルスを不活性化する効果がある酸化チタンコーティングだ。この技術は光触媒作用のひとつで、日本人化学者の藤嶋昭氏によって1967年に発見された。

当時、東大大学院生だった藤嶋氏は、水の電気分解の実験中に水中に置いた酸化チタンの表面に光を当てるだけで水が酸素と水素に分解することに気づいた。

そこで、光を当てるだけで物質を分解するのなら菌も分解するのではないかと、トイレの便器に酸化チタンをコーティングしてみたところ、微生物が不活性化して汚れがつかなくなったのだ。

光触媒パワーのすごいところはそれだけではなく、なんとトイレの空気中の菌まで殺菌していたのだ。そこで光触媒タイルとして商品化され、病院の手術室や壁や床にも使われるようになった。

また油汚れも分解するということで、トンネルの照明カバーなどにもコーティングされた。排ガスがこもるトンネル内の照明がいつも明るいのは、酸化チタンの光触媒のおかげだったのだ。

水から生成できる水素は、二酸化炭素の出ない次世代の燃料として注目を集めていて、トヨタ自動車では燃料電池車「ミライ」ですでに実用化されている。

じつは光触媒技術は、毎年のようにノーベル賞候補として名前が上がっているという。世界が抱えている大きな問題を解決する可能性があるとして、栄誉を受ける日が近づいているのかもしれない。

ラジオのAM、FMの違いを簡単に言えますか？

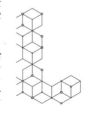

いまや動画配信サービスも隆盛になるなど、時代とともに多様化するメディアだが、一貫して根強い人気を誇るのがラジオである。
そのラジオにAMとFMの2種類があるのは周知の事実だが、その違いを説明できるだろうか。
そもそもラジオは、送り手から発せられた音声が電波となって聞き手の受信機に届き、その電波を再び音声に変えることで耳に届くというしくみになっている。

この音声を電波に重ねて飛ばすことを変調と呼ぶのだが、この変調の違いがＡＭとＦＭの違いなのだ。

ＡＭは「Amplitude Modulation（振幅変調）」という言葉の略で、音声に合わせて電波の振幅を変化させるというものだ。一方、あとから生まれたＦＭ方式は「Frequency Modulation（周波数変調）」の略で、音声に合わせて周波数を変化させる。

ＡＭに用いられる電波は周波数が低めの「中波」で、広範囲にわたって電波が飛ぶが、ノイズの干渉を受けやすい。そのため、音楽放送よりはスポーツ中継、ニュース、交通情報などがメインとなる。

それに対しＦＭは周波数が高めの「超短波」で、直進性が強いために受信感度の範囲が狭いが、そのぶん音質がクリアなのが特徴だ。ＦＭで音楽番組が多いのもこれが理由である。

ちなみに、ラジオファンにはおなじみの短波放送は、遠距離通信に適した周波数の電波を使用して、遠く離れた海外などに音声や音響を送るものだ。

大気中にある電離層に反射させて音を受信するため、受信感度は気象条件に大きく左右されるが、短波ラジオでうまく周波数を合わせれば、遠く離れた海外の放送などを受信することが可能だ。

手術に使う「溶ける糸」の成分は？

人はもちろん、ペットの手術でも切開した部分を縫い合わせるときなどには手術用の糸が使われる。医療ドラマでも、研修医が手術に備えて繰り返し糸結びの練習をするシーンが出てくるほどだ。

ところで、こうした糸には「溶ける糸」と呼ばれ、手術後に抜糸の必要がないタイプのものがある。

あとから抜糸しにくい部位の手術など、部位や内容によってはこの溶けるタイプの糸が選ばれることがある。そこで俄然気になるのが、糸はなぜ溶けて、その後どうなってしまうかだ。

溶ける糸は「吸収糸《きゅうしゅうし》」ともいい、分解されてその名のとおり体に吸収されるものだ。日本では1980年から使われるようになったという。

この吸収糸の原料には、もちろん体に害のないものが用いられているが、そのひとつに乳酸がある。乳酸を主原料としてつくられた糸は、やがて加水分解、つまり体内の水によってしだいに分解される。

この吸収糸には10日ほどで吸収されるものから、3カ月以上かかってゆっくりと分解されるものもあるという。

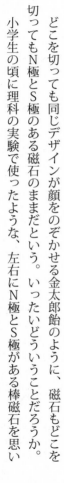

磁石を真ん中で2つに切ったらどうなる？

どこを切っても同じデザインが顔をのぞかせる金太郎飴のように、磁石もどこを切ってもN極とS極のある磁石のままだという。いったいどういうことだろうか。

小学生の頃に理科の実験で使ったような、左右にN極とS極がある棒磁石を思い浮かべてほしい。N極側は赤く、一方のS極は青く塗られているあの磁石だ。

この磁石を中央で左右に、赤いN極と青いS極に切り離して、その断面に鉄でできた釘やクリップを近づけてみると、しっかり鉄を引きつけるのだ。

そればかりか、もともとN極だった側はすべてN極になるのかと思いきや、切った部分はS極になっている。実際に方位磁石を近づけると、針はしっかりNが引き寄せられる。当然、もう一方のS極の切り口にはN極が生まれていて、方位磁石の針はSが引き寄せられる。

磁石のこの不思議な特徴は、磁石の中にN極とS極をもった小さな原子が並んでいるために生じるものだ。

ちなみに、この金太郎飴のような現象は1本の磁石を2本に、2本を4本にと半分に切り続けていっても続く。たとえどこで切ったとしても、どれほど小さくなっても、必ずNとSの2つの極をもつ磁石であり続けるのだ。

7

これだけで
「動物」と「植物」の
不思議をもっと楽しめる

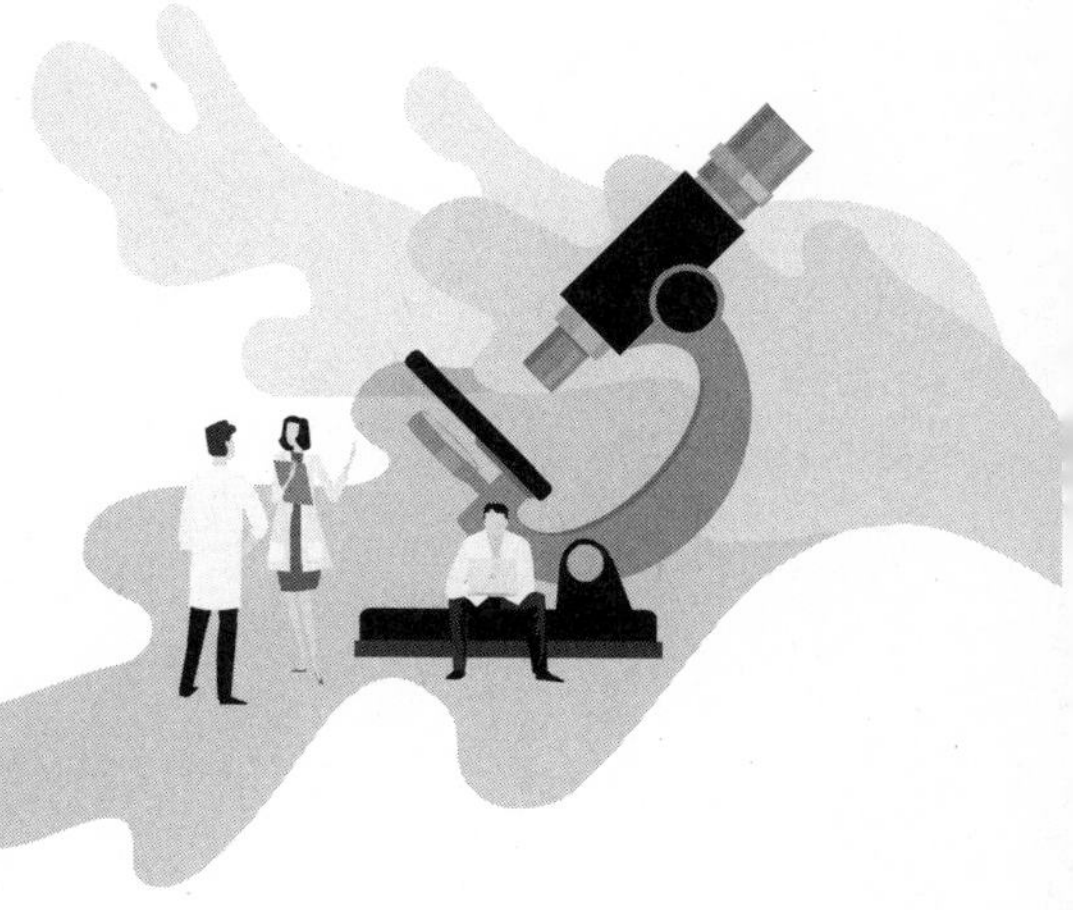

甲羅に入ったカメの性別を見分ける方法は？

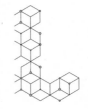

亀の性別の見分け方を知っている人は案外少ないかもしれない。

成長したカメは、メスよりもオスのほうがしっぽが太く長くなる。また、総排泄孔がオスは甲羅の外側、メスは内側にある。それで見分けるのだ。

ところで、亀はいうまでもなく卵から生まれるが、オスかメスかはいつ決まるのだろうか。じつは多くの亀は、孵化するときの温度でオスかメスかが決定される。たとえばアカミミガメという亀の場合、孵化するときの周囲の温度が26度だとオス、32度だとメスとして生まれることがわかっている。つまり、オスかメスかは遺伝的に決まるのではなく、温度によって決定されるということだ。

だから、もしも地球温暖化により常に気温が高い状態になれば、メスの亀ばかりが生まれることになり、亀そのものが絶滅する可能性もあるということになる。

このように温度によって性別が決まるのは亀だけではない。一部のワニやトカゲも同じように温度が性別の分かれ目になっている。地球温暖化は、これらの動物たちの今後を左右するかもしれない重大な危機なのである。

どうして深海魚はわざわざ深海にいるの？

深海魚や深海生物といえば、水深２００メートル以上の深海で生活している魚類などの生物をさす。

これまでもっとも深い海で発見された深海魚としては、マリアナ海溝の水深約８２００メートルで泳ぐシンカイクサウオという種類の魚が確認されている。体長15～20センチほどの半透明の魚だ。もしかしたら、もっと深いところで生きている生物もいるかもしれない。

ところで水深８２００メートルでは、なんと象１６００頭分の重さが水圧としてのしかかってくる。深海魚はなぜ、それだけの水圧に耐えて生きていられるのだろうか。

じつは深海魚の多くは、海水と体内の圧力が同じなのだ。だからいくら水圧がかかっても、その影響を受けない。逆に深海魚を捕まえて船に揚げたりすると、体内の浮袋が破裂してしまうことがある。深海こそが彼らが生きていける環境なのだ。

また、タカアシガニなどの甲殻類はかなり堅い殻に覆われており、それで水圧から身を守っている生き物もいる。

深海は暗いので、ほとんどの深海魚は視力が弱い。その代わり、体のどこかが光り、その光でエサをおびき寄せるなどの工夫をしている。

貝好きなら知っておきたい「貝毒」の話とは?

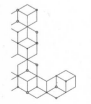

日本人は古くから貝を重要な食料にしており、その痕跡は遺跡から発見される貝

塚などでも明らかだ。出汁をとったり、身を食べたりするなど、多様な調理方法で食べられてきた貝類は、現在でも日本人の食卓には欠かせないもののひとつだが、少々危険な食材という側面がある。

アサリやホタテ、カキなど、現在でもおなじみの二枚貝には「貝毒」という危険な物質を含む可能性があるのだ。

二枚貝が主食としているのは、海中に生息している植物プランクトンだ。植物プランクトンの中には、サキシトキシン、ゴニオトキシン、オカダ酸、ディノフィシストキシンなどの毒を持っているものもいる。それらを食べることで、二枚貝の体内に毒物が蓄積されていくのである。

貝毒は、下痢性貝毒と麻痺性貝毒に分けられる。下痢性貝毒の症状は、その名の通り下痢などの消化器系の障害が主だ。

やっかいなのは麻痺性貝毒で、猛毒であるフグ毒にも匹敵するほどの高い毒性を持つ。神経系に障害を起こし、最悪の場合は死に至る。貝毒には熱に強いという特性もあり、加熱調理してもなくなることはないのだ。

カキの毒については一般に知られているが、アサリやホタテなどにも高い毒性がある可能性についてはあまり認知されていない。

身近すぎる食材のため不安を感じるかもしれないが、貝毒は常に危険があるというわけではない。貝毒になり得る植物プランクトンは、発生する時期や場所がある程度限定されているからだ。

各地の漁協では定期的に海域ごとの検査を行って貝毒の発生を監視している。基準値を超えた貝は市場には出回らないようになっているため、一般の消費者であればあまり心配しなくてもよさそうだ。

日本近海に棲息する体長10センチの猛毒生物とは？

海洋の危険生物といえば、サメやシャチなどが思い浮かぶが、近年、日本近海で生息域を広げている危険な生物が猛毒を持つヒョウモンダコだ。

ヒョウモンダコは体長10センチほどのタコで、オーストラリアなどの暖かい水域にある岩礁やサンゴ礁、砂と小石が混ざった海底に棲んでいる。ところが温暖化によって水温が上昇し、日本の岩礁地帯でも見られるようになった。

茶褐色のヒョウモンダコは、一見するとふつうのマダコと変わらない。しかし、刺激を受けると体一面に青く光る斑点が浮かび上がる。その姿は見るからに危険な有毒生物といった様相だ。

毒の成分はフグと同じテトロドトキシンである。ヒョウモンダコに噛まれたり毒を吹きつけられたりして皮膚から吸収すると呼吸困難を起こす。日本でも2011年に男性が入院する事故が起きているし、海外では死亡例もある。

かなり危険な生物であるにもかかわらず、見た目の面白さから飼育対象としても人気がある。

小柄でも非常に攻撃的な性質を持っているため、うっかりミスが大きな事故につながりかねないことを忘れてはいけない。

比較的浅い海に棲むという性質から、釣りや海のレジャーの際に遭遇する可能性も高い。見かけたら絶対に触らずに近隣の行政機関に報告が必要だ。

ホタルの光が緑色になったのは、遺伝子のコピーエラーだった⁉

風のない日暮れどきに点滅しながらふわりふわりと飛び交うホタルは、日本では平安貴族の歌にもよく登場してきた。

そんなホタルが緑の光を発しはじめたのは、人間が誕生するよりもはるかに古い時期のことで、なんと恐竜がいた白亜紀にまでさかのぼる。

ホタルの発光に関する研究を行っている中部大学の研究チームの発表によると、ホタルの先祖はさらに昔から存在したのだが、発光能力を持ったのは約1億500年前だという。

脂肪酸代謝酵素が細胞分裂でどんどんコピーされていくなかで、エラーを起こして突然変異し、発光酵素ルシフェラーゼに進化した。そこからホタルの発光が始まったのだ。

しかし、なぜホタルは光を放つようになったのだろうか。よくプロポーズや繁殖のためだといわれるが、どうやらそれだけではなさそうだ。

なぜなら、ホタルは水の中にいる卵のときから一生を通じて光っている。繁殖のためなら、光るのは成虫になってからでもいいはずで、魚やザリガニなどの捕食者から種を守るためなのではないかというのが有力な説となっている。

じつはホタルは毒を持っていて、食べると死に至るほどではないが味は悪いらしい。

不味いものがわかりやすく光っていると、捕食者に「光っているものは不味い」と認識させることができる。いわば、威嚇のために光るようになったのではないかというのだ。

そんな思惑があったかどうかはわからないが、ホタルが1億年以上も種をつないできたのは事実である。

ちなみに、日本で見られるホタルの光は黄緑色だが、世界には黄色やオレンジ色に光るホタルもいる。白亜紀のホタルは濃い緑だったそうだ。

りんごの「ふじ」と桜の「ソメイヨシノ」の見えざる接点とは？

人気のりんごの品種「ふじ」と、日本を代表する桜の品種「ソメイヨシノ」には共通点があるのを知っているだろうか。

じつは、どちらも1本の木から接ぎ木で増やされている。つまり、全国に1億本あるというふじの木も、数百万本あるというソメイヨシノも、どちらも1本の母なる木と同じ遺伝子を持つクローンというわけだ。

だから、ソメイヨシノは気温などの条件を満たせばいっせいにつぼみをほころばせ始める。これは、同じ遺伝子だからこそなせるワザなのである。

接ぎ木は、根っこが土に張った木の幹の断面に別の植物の枝の断面をくっつけて癒着させる。うまくくっつけば、接いだ枝が下の台木の根から栄養を吸い上げて育っていくのだ。

この技術は歴史が長く、古代ギリシャや古代中国でも取り入れられていた。昔から、園芸や農業に欠かせない技術だったのだ。

世界を見渡してみれば、このように同じ遺伝子をもちながら個体数を増やしていった果実はほかにもある。代表的なのがバナナだ。

現在、最も多く流通しているバナナはキャベンディッシュという品種なのだが、よく考えてみるとバナナには種がない。そこで、こちらは新芽が出たら挿し木をして増やしてきたのだ。

そのため、大きな農園で育てられているバナナはすべて遺伝的に同じ品種ということになる。だが、それが原因で今、キャベンディッシュ種のバナナは絶滅の危機に瀕している。「新パナマ病」というバナナを枯らせてしまう伝染病が、アジアやオーストラリア、中南米といった産地で蔓延しているのだ。

遺伝子が同じであれば、同じ病気にかかりやすい。1本が病気にかかるとあっという間に農場全体に広がってしまい、壊滅的な被害につながってしまうのだ。

この病名に〝新〟がついているのは、今、人間界を襲っている新型コロナウイルスと同様に以前蔓延した病気の新型だからだ。

60年くらい前まで、バナナといえば現在のキャベンディッシュ種ではなくグロスミシェル種だった。ところが、1950年代後半からパナマ病が蔓延し、グロスミシェル種はほぼ全滅してしまった。

そこで登場したのが、パナマ病に強いキャベンディッシュ種だったのだ。種のないバナナを人工的に増やすには挿し木しかなく、それが病気の蔓延につながっている。やはり植物も多様性があったほうがいいということなのだろう。

ギネスにも登録！世界一恐れを知らない動物とは？

地球上でもっとも恐ろしい動物は何かというお題はしばしば雑談のネタにもなる。もちろん、何を基準にするかによって見方も変わるし、実際、マニアの間でも意見が割れたりもする。

そんななか、研究者や専門家の間で「この動物が世界最恐なのでは？」と、最近ちょくちょく話題になっている動物がいる。それがラーテルだ。日本人には聞き馴染みのない名前だが、実際、ギネスブックにも「世界一恐れを知らない動物」として登録されているというから、それなりに信ぴょう性もありそうだ。

ラーテルはアフリカ大陸やアジアの草原に生息するイタチ科の動物で、ミツアナグマとも呼ばれている。トカゲや昆虫を主食にするが、ハチミツが大好物で、鋭い爪で蜂の巣を壊して蜜をなめるのを得意とする。

体長はせいぜい1メートルほどのファニーフェイスで、動物園などで見れば「かわいい」と言われる存在だろう。

この動物が世界最恐とされる根拠はいくつかあるが、もっとも特徴的なのはその皮膚だ。まるでゴムのように厚く、またダブダブにたるんでいるため、つかみどころがない。仮に背後からトラに噛みつかれたとしても、トラが分厚い皮膚にてこずっている間に、体を捻って反撃することができるのだ。

攻撃力も高く、鋭い爪と歯は相手にとっては脅威だ。また、毒に耐性があるため、たとえコブラに噛みつかれたとしても返り討ちにして食べ尽くしてしまう。むしろ、蛇は大好物らしい。

もはや陸に天敵はいないといわれているラーテル。日本の動物園でも飼育されているところがあるので、気になる人は会いに行ってみては。

野生動物は虫歯にならないって本当？

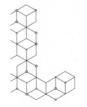

歯医者さんから「8020《ハチマルニイマル》運動」という言葉を聞かされたことはないだろうか。これは、80歳になっても自分の歯を20本以上保とうという意味で、20本あれば少々硬いものでも十分に噛むことができるといわれている。

永久歯、いわゆる大人の歯はすべて生えそろうと32本になるから、20本は約6割、つまり、永久歯の4割ほどは虫歯や歯周病などで失う可能性があるともいえる。

ところで、歯に何かトラブルが起きたとき、歯医者さんに駆け込むわけにもいかない野生動物たちの口の中はどれほどひどい状態になっているのだろうか。と思いきや、じつは野生動物は虫歯になりにくいのである。

虫歯は、甘いものなどを食べたり飲んだりすることにより、口の中の虫歯菌が糖分を取り込んで酸ができ、歯の一番外側にあるエナメル質から解けていく病気だ。ところが、野生動物が食べている草や木、動物の肉などにはほとんど糖分が含まれていないため、虫歯にはなりにくい。

さらに、自然界では硬いものを食べる機会が多いことから、咀嚼する回数が増えるのに比例して唾液の量も増え、口の中が清潔に保たれやすいこともある。

動物園の動物は、糖分が含まれた果物や野菜を食べることもあるが、それほど多くは与えられないため虫歯にはほとんどならないという。一方、家庭で飼われている犬や猫には、エサによる糖分の取りすぎから虫歯が増えているという。

注射はあれだけ痛いのに、なぜ蚊に刺されても痛くない？

夏が近づき、肌の露出が多くなる季節になると悩ましいのが蚊の存在だ。いつのまにか手や足に針を刺し、赤い腫れとかゆみを残して音も立てずに去っていく……。日本には100種類ほどの蚊が生息していて、人を刺すのはそのうちの20から30種類だという。

ところで、いくら蚊に刺されてもかゆいばかりで痛みを感じることはほとんどない。でも、同じように針を刺される注射は痛い。これにはどんな違いがあるのだろうか。

人の皮膚には、痛みや温かさ、冷たさなど刺激を感じる小さな点が無数にある。この点は「感覚点」と呼ばれ、とくに痛みを感じる部分を「痛点」という。痛み、つまり人に危険を知らせるためにこの痛点の数はとても多く、縦横1センチメートルの皮膚の中には100から200個もの痛点がある。

予防接種などで使われる注射針は、直径0・4から0・5ミリメートル。十分に細く見えるが、それでも皮膚にある痛点には当たってしまい、痛みを感じさせているのだ。

ところが、蚊の針はもっとも細いところで直径0・015ミリメートルと、注射針の30分の1ほどしかない。蚊はこの極細の針を痛点に当てることなく高速で動かしながら皮膚に差し込み、血を吸う。そのため、人は痛みを感じにくいのである。

こんな蚊の針をまねて、これまでのものよりさらに細い注射針の開発が行われているというから、人が自然から学ぶことはまだまだあるようだ。

ちなみに、蚊の針は正確には蚊の口にあたり、7つものパーツからなる複雑な構造になっている。また、人から血を吸う蚊はメスに限られていて、その理由は産卵に必要なタンパク質を得るためだという。

クモは自分でつくった巣のネバネバで身動きが取れなくならないの？

糸を張り巡らせ、芸術的ともいえる網目状の巣を張るクモ。クモの巣は自分の住処であると同時に、獲物を捕らえる唯一無二の道具でもある。

視力が低いクモは、張り巡らせた糸を目のかわりにしていて、糸の振動によって獲物がかかった場所を確認している。さらに、自分が巣の上を自在に動けるようにネバネバとした糸と、乾いた糸を巧みに使い分けて巣をつくっているのだ。

クモの巣は主に中央から伸びる縦糸と、それに交わる横糸からできている。いずれの糸もお腹の先の部分から、体内のタンパク質を使ってつくったものだ。

そのうち横糸には、糸を出すときに「粘球」という、粘液の小さな粒をいくつもくっつけている。これがネバネバした糸の正体で、クモのエサとなる虫は強力な粘着力のあるこの糸に引っかかって身動きが取れなくなってしまうのだ。

一方の縦糸には粘球がない。もちろんクモはそのことを知っているので、巣にかかった獲物を取りに行くとき、この粘り気のない縦糸のほうを選んで歩いている。

しかもよく観察すると、離れた場所に虫がかかったときには、縦糸をたどって一度巣の中心まで戻り、ルートを選んでから縦糸をたどって獲物をめざすという。

また、粘り気のある湿った横糸と、乾いた縦糸を組み合わせることで、クモの巣は衝撃を吸収したり、破れても穴が広がったりしないようになっている。昆虫界屈指のハンターは、なかなかの頭脳派でもあるようだ。

現在、世界で4万種類以上が確認されているクモには、ネバネバした糸を使わない種類や、糸は出すものの巣を張らないものもいるという。クモの生態は今も多くの謎に包まれているのである。

ニワトリの年齢と卵の大きさの関係は？

日本人の卵の消費量は世界でもトップクラスで、1人あたり年間300個以上も食べているそうだ。朝食には納豆と卵、海苔はかかせないという人も多いことだろう。

ところで、スーパーマーケットの卵が並ぶ棚で「ミックス卵」と書かれたパックを見かけることがある。ミックスという名前のとおり、ひとつのパックの中にS、M、Lとさまざまなサイズの卵が混ざっているものだ。

このように、ひと口に卵といっても流通しているサイズはまちまちである。料理好きの人なら、レシピ本に「卵はすべてMサイズを使用しています」という注釈を目にしたこともあるかもしれない。

農林水産省の規定でも、卵はＳＳからＬＬまで６つのサイズに分かれている。たとえば、Ｍサイズの卵は殻を含む重量が58グラム以上64グラム未満のもので、Ｌなら64以上70グラム未満のものといった具合だ。

ちなみに、このサイズの違いは卵を産むニワトリの年齢に関係している。種類や個体差はあるものの、一般的に生後４ヵ月ぐらいの若いニワトリが産んだ卵は小さくＳサイズに、さらに生後10ヵ月でＬサイズを産むといわれているのだ。

卵は、ニワトリの卵管を通って産み落とされる。卵管では卵黄のまわりにしだいに卵白がついていき、最後に殻がつくられるのがおなじみの卵が形づくられるメカニズムだ。

この卵管は年をとるごとに太くなり、それにつれて卵黄のまわりにつく卵白の量も増えていく。つまり、卵白の量が増えるため卵も徐々にサイズアップしていくというわけだ。

サイズによって卵白は増えるが、卵黄の大きさは変わらず、もちろん味にも違いはないという。

オスのカモノハシが持つ後足の毒の謎とは？

カモノハシは動物園の人気者のひとつだが、かなり不思議な動物である。哺乳類なのに卵を産むし、大きなクチバシと水かきを持っている。いろいろな動物の特徴を兼ね備えており、その外見から水鳥だと思っている人もいるだろう。

「世界で最も奇妙な哺乳類」という異名を持つカモノハシは、現在ではオーストラリアの一部にしか生息していない。

そして、もうひとつ注目すべきは毒を持っていることだ。

カモノハシと毒はなかなか結びつかないが、オスは後足の爪にかなりの猛毒を持っている。一説には、犬くらいの動物なら死んでしまうほどの強さだという。

人間の場合でも、死ぬことはないにしても、後足で引っかかれてこの毒が体内に入れば、急速な腫れとモルヒネも効かないほどの激痛に襲われる。間違っても、自分でカモノハシを抱き上げようなどとは思わないほうがいい。

なぜ、カモノハシがそのような猛毒を持っているのかについては不明だ。いつ、どんな状況でこの毒を使うのかもわかっていない。オスだけが持っていることから、繁殖に関係があるのではないかとも考えられている。

つまり、オス同士の戦いに使われるのではないかというわけだが、今のところははっきりしていない。

「ツバメが低いところを飛ぶと雨が降る」ってどこまで本当？

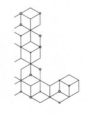

ツバメが低く飛ぶと雨になる――。こんな話を聞いたことはないだろうか。ピンとこない人も多いだろうが、これは真実である。
ツバメはふだん、飛んでいる虫を餌として食べている。蝶や蛾、アブ、ミツバチ、羽ありなどがツバメの餌となる虫だ。当然のことながら、それらの虫はみんな羽を

持っている。

ところで、低気圧が近づくと湿度が高くなる。そうなると、餌となるこれらの虫の羽には水分が付着して重くなる。そのため、彼らはいつもよりも低いところを飛ぶようになる。そうすると、これらの虫を食べるツバメも低く飛ぶことになるのだ。

つまり、ツバメが低く飛んでいるときは、低気圧が接近して湿度が高くなっている場合が多いということなのだ。

これは昔からよく知られていることでもあるが、もちろん１００パーセント正確な天気予報というわけではない。それに、日本でツバメが見られる時期も限られているので、天気予報としていつでも使えるわけではない。

単細胞なのになぜかカシコいモジホコリの秘密とは？

あとさきのことをよく考えず、単純に行動して失敗する人に向かって「きみは本当に単細胞だな」と言って批難することがある。単細胞生物は、あまり賢くなくて単純極まりない人の代名詞として使われることが多い。

しかし、それは単細胞生物に失礼かもしれない。モジホコリという奇妙な名前の単細胞生物は驚くほど頭がいいのだ。

モジホコリは、落ち葉や朽ち木の表面など涼しくて湿潤な場所で生きる多核体の単細胞生物だ。原生生物だが、ふつうに肉眼で見ることができるほど大きい。培養も容易なので、細胞運動などの研究によく利用されている。

じつはこのモジホコリは、「知性があるのではないか?」と思わせるような動きをすることでも知られている。

たとえば、2ヵ所に餌を置いた迷路でモジホコリがどのような動きをするかを観察した実験がある。すると、モジホコリは餌までの最短距離を見つけて広がっていくことがわかったのだ。

また、低温や乾燥させた環境下でストレスを与えると、動きが鈍ったり収縮したりしてストレスへの反応を見せるが、ある一定の時間それらのストレスを与えたあとにストレスを与えるのをやめても、モジホコリは決まった時間になると同じ反応を見せるということもわかった。

モジホコリには思考力や記憶力があるのではないかとさえいわれているが、実際にどうなのかはまだわかっていない。しかし、海外にはモジホコリをペットとして飼いたいという人もいるくらいで、今や最も注目を集めている単細胞生物であることはたしかなのだ。

そもそもトカゲのしっぽはどうして切れる？

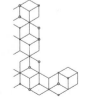

世間で「トカゲのしっぽ切り」といえば、犯罪や不祥事が起こったときに、末端の人間だけが逮捕されたり責任を負わされたりして、上の者はその地位や財産などを守られることをさす言葉だ。
実際、トカゲのしっぽは簡単に切れるようにできている。
トカゲには敵が多い。ネコやネズミ、ヘビや鳥から襲われることもある。そんなとき、しっぽだけが切れてピクピク動いていると、敵はそれに気を取られてしまい、その間にトカゲはまんまと逃げることができるのだ。なぜ、こんなことができるのだろうか。その秘密は骨にある。トカゲのしっぽの骨は小さな骨がつながっているのだが、そのひとつひとつに割れ目が入った節が並んでいるのだ。

これは「だつり節」と呼ばれるもので、しっぽが切れるときは、このだつり節から先の部分が切れるようになっている。ただ切れるとすぐにまわりの肉が縮むので、血も出ない。だから血の跡をたどることもできないわけだ。

工場でわざわざ「ハエ」が生産されているって本当？

15年前くらいから、世界各地でミツバチが一夜にして消えてしまう摩訶不思議な現象が起きている。

もし、何らかの原因でミツバチが一度に大量死したのであれば、死骸が見つかるはずだが、それも確認されていない。まさに、〝失踪〟というにふさわしい現象がヨーロッパ諸国やアメリカ、ブラジル、台湾、そして日本などでも発生しているのだ。

ミツバチが消えてしまうことで問題となるのが受粉だ。春になって植物の花が咲くと、ミツバチが花から花へと飛び回って蜜を集める。そのとき、おしべでつくられた花粉がめしべに付着し、種子ができて果実が実る。花が咲いただけではカボチャもイチゴも実がならないことは、小学校の理科で学んだとおりだ。

そこで、ミツバチの大量失踪によって困った農家は人工的に授粉を行っていたのだが、規模が大きな農園では時間と手間がかかる。

そこで白羽の矢が立ったのが、「ハエ」である。花の間を飛び回りながら蜜をなめるハエが、ミツバチに代わって受粉を助けてくれるのだ。

ハエというと、一般的には雑菌を運ぶ不衛生な存在と思われているが、受粉のために放たれるハエはヒロズキンバエという医療用にも使われている衛生的なものだ。生産している工場では無菌状態で幼虫を増やし、パックに入れて工場から出荷している。購入した農家は栽培施設で羽化させて飛ばすのである。

このハエはミツバチよりも働き者で、ハチが活動しない低温の時間帯や紫外線が少ない雨の日でもせっせと働いてくれる。今のところはまだ高価な存在ではあるが、今後は引く手あまたの存在になるかもしれないのだ。

8

「天気」と「気象」をめぐる誰もが驚く雑学とは？

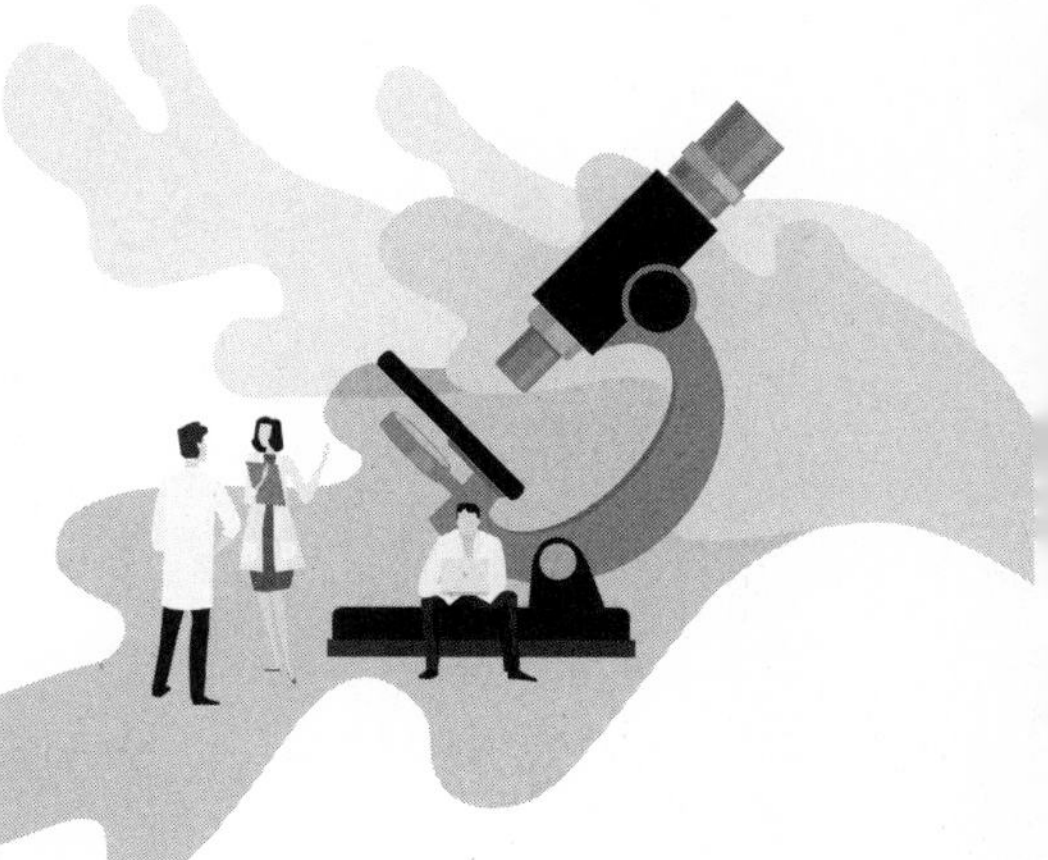

空に浮いている雲の重さをはかってみると……？

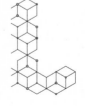

雲にも重さはある。空に浮かんでいるからフワフワして重さがないようなイメージがあるが、もしも巨大な秤があれば計測することができるはずだ。

雲は水や水滴の集まりだが、その雲の粒1個の大きさは、だいたい半径が0・01ミリメートルである。

たしかに小さいが、しかし1個1個に重量がある。しかも、1立方メートルあたり100億個もの粒が集まっている場合もあるのだ。全体の重さは、わたしたちの想像をはるかに超えているのだ。

では、雲はいったいどれくらいの重さなのだろうか。

たとえば積雲で考えてみよう。積雲とは、いわゆる綿雲のことである。綿菓子のような形をしているからこう呼ばれる。

上に向かってモコモコと成長するが、下の方向や横方向には広がっていかない。ちなみに学名は「キュムラス」というが、これは「積み重なる」という意味である。

もし仮に、半径1ミリメートルの粒が1立方メートルあたり100万個も集まっているとして計算すれば、よく見かける積雲の場合、その重さは、なんと象80頭分と同じくらいになる。

象といっても種類によって、あるいはオスかメスかによって体重は異なるが、1頭をおよそ5トンとして計算すると、80頭だと約400トンということになる。

400トンもの重さの雲が、上昇気流によって大空に浮いていると思うとなんとも壮大な風景である。

雪の結晶は、本当に六角形？

冬になると、クリスマスツリーの飾りからセーターの模様まで、雪の結晶をモチーフにしたデザインを街のあちこちで見かける。某大手食品メーカーのマークでもおなじみだろう。

そうした雪の結晶は決まって美しい六角形で描かれているが、どうやらこれは科学的にも正しいようだ。実際に空から舞う雪の結晶もすべて六角形で、五角形や八角形のものはないというのだ。

雪は、もとははるか上空の雲の中で、水蒸気を含む空気が冷やされ生まれた氷の粒である。ちなみに、この小さな粒は氷晶といわれる。

水の分子は互いにくっつきあって液体から固体の氷晶に変化するが、このとき六角形の柱状にくっつくのがもっとも安定する。つまり、雪は生まれたときから構造上の理由ですでに六角形なのだ。

ただし、同じ六角形といっても、花びらのような形や扇のような形をしたものや、さらに板状や柱状のものなどさまざまな種類がある。

みぞれやひょうなども含めると、１２１種類もの形の異なる結晶が確認されているという。

この微妙な形の違いは雲の温度や水蒸気の量で決まり、たとえばマイナス10度から20度の雲では板のように、また水蒸気の量が多いと枝分かれしたり、針のような結晶に成長したりする。結晶の形から、上空の雲の状態を知ることも可能だというからおもしろいものだ。

「桜前線」以外にも「前線」があるってご存じ？

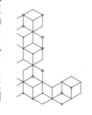

春先になると、天気予報で伝えられるのが桜前線だ。「桜前線は○月△日には□□まで達する見込みです」と聞いたときに自分が住んでいる地域が含まれていると、いよいよ春がやってくるようで嬉しくなる人も多いだろう。

厳密には桜前線とは、ソメイヨシノの開花日をつないだ線のことで、3月中旬ころに南から北上を始めて、5月ころには北海道に達することが多い。気象用語ではなく、昭和42年ころからメディアがつくって使い始めた言葉で、気象庁がその観測を行っている。

ところで、じつは桜前線以外にもいろいろな前線があるのをご存知だろうか。気象庁ではなく、環境省自然環境局の四季のいきもの前線調査というのがあり、そこが一般から自然の変化について投稿を募っている。それに基づいて発表されているものだ。

それには、ツツジの開花前線、もみじの紅葉前線、熱帯魚回遊前線、初雪前線、虫の鳴き声前線、ウグイス初鳴き前線などがあり、各地からの報告をもとに、「今、どのあたりか」が公表されている。

四季がはっきりと分かれ、しかも南北に長い国土を持つ日本ならではのものだ。

温かい雨と冷たい雨の違いはどこから？

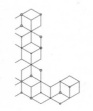

自分からすすんで雨に濡れる人はあまりいないかもしれないが、傘を忘れてやむを得ず雨に打たれた経験は誰にでもあるだろう。

そのとき、雨が温かいときもあれば、冷たいときもあるのに気づいているだろうか。これはじつは、雨がどうやってできるかによる違いである。

まず、激しい上昇気流の中で雲の粒が衝突し、雨粒の大きさにまで成長して雨になることがある。

この場合は、温かい雨になって降ってくる。熱帯地方で一時的に激しく降るスコールは、まさにそれだ。

一方、上空に寒気が入り込んで、地表との大きな温度差ができて急激な上昇気流が発生し、大気の水蒸気や水滴が強い上昇気流によって高層まで運ばれて上空の寒気に冷やされ、それが大きな水滴へと成長して雨になることがある。

この場合は、冷たい雨になる。だから、冷たい雨は温かい雨に比べて雨粒が大きいのだ。

夏だから温かい雨、冬だから冷たい雨、というような単純に区別できるものではない。

あくまでも上空のことなので、夏に冷たい雨が降ることもあれば冬に温かい雨が降ることもあるのだ。

雨が落ちるスピードは、秒速何メートル？

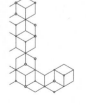

激しい雨に打たれると、「痛い！」と感じることがある。よほどものすごいスピードで落ちてくるのではないかと考えてしまうが、たしかに、はるか上空から降ってくるのだからかなりの速さで落ちてくるような気がする。

実際、雨はどれくらいの速さで落ちてくるのかというと、ふつうの雨は雨粒の大きさが直径2ミリメートルほどで、落ちる速さは時速25キロメートルくらいだといわれている。

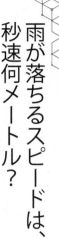

これは秒速7メートルにあたり、1秒間に7メートルも落ちるのだ。たしかに当たると痛いかもしれない。

ただ同じ雨でも、たとえば夏の入道雲から降ってくるような大粒の雨はもう少し速い。だいたい時速35キロメートルといわれており、秒速にすると、10メートルくらいになる。

ちなみに、はるか上空から落ちてくるので、途中でかなり加速がついて、地上に達するまでにものすごい速さになるようなイメージもあるが、雨粒ひとつひとつはとても小さく、空気抵抗があるのでそれほど加速はしない。上空からほぼ一定の速度で落ちてくるのだ。

雨特有のあの匂いには、名前がついていた⁉

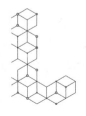

雨が降る前や雨があがったあと、独特の匂いを感じることがある。「雨の匂い」という言葉は歌の歌詞になることもあって、なんとなく風情を感じる人もいるだろう。そんな気持ちに水を差すようで申し訳ないが、じつはあれは雨が匂っているわけではない。化学物質の匂いである。
降り始めの雨の匂いは正式には「ペトリコール」と呼ばれる。これは1960年

代にオーストラリアの研究者が「雨が降ったときの香り」の名称として考え出した。

この匂いの原因は、岩石や地面に含まれている植物性の油である。

雨粒が地面や植物の葉に当たったとき、空気中に気泡（エアロゾル）が放出されるが、このエアロゾルには植物性の油が付着しており、それが匂いのもとになるのだ。

まだ雨が降り出す前からこの匂いを感じることもあるが、それはすでに降っている場所で匂いが発生し、それが風で漂っているのである。

また雨あがりの匂いは、それとはまた別の原因で発生する。こちらは「ゲオスミン」という名称がついているが、その正体は土中のバクテリアなどによってつくられる有機化合物のカビ臭い匂いによるものである。それが雨水によって拡散するのだ。

ちなみに、「ペトリコール」はギリシャ語の「土のエッセンス」、「ゲオスミン」は同じくギリシャ語の「大地の匂い」からとった名前だ。

語源は詩的だし、匂いも風情があるが、じつは化学物質であるとわかってみるとその匂いの感じ方も変わってくるかもしれない。

最新技術が、ゲリラ豪雨さえ予測可能にする⁉

夏が来ると毎年のように耳にするようになったのが、局地的な豪雨による被害のニュースだ。新しい気象ワードとしての「ゲリラ豪雨」は、すでに聞き慣れた言葉になってしまっている。

雨の気配がまったくなかったにもかかわらず、外を歩けないほどの豪雨に見舞われ、ときには人の命が奪われるほどの被害を出す。ゲリラ豪雨は急速な積乱雲の発生によって起きるのだが、その予測は難しく、アラートを出すことも困難を極めている。

そこに希望を生み出したのが、フェーズドアレイアンテナだ。

従来のおわん型の気象レーダー・パラボラアンテナは、一方向に狭い範囲のペンシルビームというビームを照射して雨雲を観測するため、カバーできる範囲が狭く、アンテナの角度を変えながら何度も同じ方法で測る必要があった。

その点、フェーズドアレイアンテナはたくさんのアンテナを縦横に並べてあり、一回転させるだけで半径60キロメートル、高さ15キロメートルの範囲にある雲を正確に観測することができるのだ。

このフェーズドアレイアンテナが採用しているのが、「ホイヘンスの原理」という物理の法則だ。波が重なると強め合って次の波になるという原理だが、平面に規則正しく並んだアンテナから小規模な電波を一列ごとに放射すると、それが大きな電波の波になる。さらに、そのタイミングを規則的にずらすことで電波の送方向が変わり、短時間に広い範囲にビームを振ることが可能になるのだという。

パラボラアンテナが同様の範囲を観測するには、20回転程する必要があるというから、どれだけ時間短縮できるかは明らかだろう。

雨雲の発生から短時間で豪雨が降り始めるゲリラ豪雨の場合は、雨雲の状況をどれだけ素早く察知するのかが防災の面からも非常に重要になってくる。情報を早く出すほど、被害を抑えられるからだ。

民間企業や大学、行政が一体となって、フェーズドアレイアンテナでの実証実験が進んでいる。雨量予測などの点にまだ課題はあるが、フェーズドアレイアンテナがゲリラ豪雨を予測するための大きな武器となると期待されている。

〝台風の目〟に投下される観測機器で何がわかる？

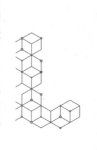

ここ数年、地球温暖化によるものとされる超大型台風の発生が続いている。台風の進路が日本に向かっていれば、気象庁から発表される情報に釘づけになるという人も少なくないだろう。

台風発生時に気象庁から出る情報は、台風の中心位置や中心気圧、最大風速、予想進路図と強風域、暴風域などだが、いったいこれらのデータはどのようにして収集しているのだろうか。

気象観測といえば気象衛星「ひまわり」がおなじみだ。台風のデータもこのひまわりから送られてくる。

ただし送られてくるのは静止画像だけで、過去に実際に航空機で台風に近づいて直接測定されたデータをもとにこれを読み解き、中心気圧や最大風速を推定しているのだ。これは日本だけでなく、世界の気象機関が同じように行っている。そのためなのか、進路予想などはヨーロッパとアメリカ、日本では同じ台風でもかなり異なっていることもある。

また、解析の基準ともいうべき過去に測定されたデータは30年以上前のものがほとんどで、新しい情報はお世辞にも豊富とはいえないのが現状だった。そこで、2017年、名古屋大学と琉球大学、気象庁の研究チームによる台風の直接観測が行われた。

太平洋上に渦巻く台風に航空機で接近し、台風の目の中に進入したのだ。そして、観測機器「ドロップゾンデ」を目の中に投下して気温や気圧、風速などのデータを入手した。さらに、今後は台湾や韓国、アメリカの大学や研究機関と共同で直接観測する体制も整えている。

最近は台風のメカニズムをわかりやすく解説してくれるメディアが増えているが、今後は気象好きにはたまらないリアルな情報がもたらされるかもしれない。

日本各地の気温上昇を引き起こす「風炎」とは？

２０２０年９月３日、新潟県のほぼ中央に位置する三条市では最高気温が40・４度にまで達した。これは国内の観測史上、初めて９月に40度を超えた記録的な日である。

この猛暑を引き起こしたのが「フェーン現象」だ。フェーン現象とは、簡単にいえば風が山を越えるときに暖められ、山を下った側の気温が高くなることだ。このとき、山を１００メートル下りるごとに気温はおよそ1度上がるという。

三条市にうだるような暑さをもたらしたのも、ちょうどこの頃、日本海を台風９号が北上していたことが影響したと考えられる。南から暖かく湿った空気が流れ込み、日本海側の各地にフェーン現象が発生していたのだ。フェーン現象は春先にもよく起き、４月に北海道で30度を上回ったこともある。

ところで、このフェーン現象のフェーンは英語ではFOEHNとなり、もともとはヨーロッパの中央部を東西に横切るアルプス地方で名づけられたものだという。ちなみに、風が暖かくなるこのフェーン現象の特徴から、かつて日本では「風炎」という字を当てていたことがあった。

フェーン現象の際に吹く強い風は乾燥しているため、各地でたびたび大きな火災を引き起こしてきた。風炎という字には、火の用心の願いも込められているのかもしれない。

■参考文献

『おもしろサイエンス　天変地異の科学』（西川有司／日刊工業新聞社）、『田んぼが電池になる！　小学生にもわかるハシモト教授のエネルギー講座』（橋本和仁／ウェッジ）、『台風についてわかっていることといないこと』（筆保弘徳、山田広幸、宮本佳明、伊藤耕介、山口宗彦、金田幸恵／ベレ出版）、『おもしろサイエンス　波の科学―音波・地震波・水面波・電磁波―』（谷村康行／日刊工業新聞社）、『音のなんでも小辞典　脳が音を聴くしくみから超音波顕微鏡まで』（日本音響学会編著／講談社）、『始まりから知ると面白い物理学の授業』（左巻健男編著／山と渓谷社）、『身近にあふれる「科学」が3時間でわかる本』（左巻健男編著／明日香出版社）、『身近にあふれる「化学」が3時間でわかる本』（齋藤勝裕／明日香出版社）、『すごい宇宙講義』（多田将／イーストプレス）、『たまごの便利帖』（晋遊舎編／晋遊舎）、『今さら聞けない科学の常識』（朝日新聞科学グループ編著／講談社）、『トンデモ科学の大冒険』（長谷川洋一／文芸社）、『おとなの楽習7　理科のおさらい　化学』（涌井良幸／自由国民社）、『おとなの楽習10　理科のおさらい　気象』（山岸照幸／自由国民社）、『面白くて眠れなくなる理科』（左巻健明／PHP研究所）、『まだ科学で解けない13の謎』（マイケル・ブルックス、楡井浩一訳／草思社）、『身近な科学のはてな』（はてな委員会編著／講談社）、『高校教師が教える身の回りの理科』（長谷川裕也／工学社）、『こどもの科学の疑問に答える本』（三澤信也／彩図社）ほか

■参考ホームページ

愛知県衛生研究所、NPO法人　高峰譲吉博士研究会、国立研究開発法人日本原子力研究開発機構、

公益財団法人　環境科学技術研究所、ナショナルジオグラフィック日本版、現代ビジネス、東洋経済オンライン、JAXA、スキマ信州、農林水産省、経済産業省資源エネルギー庁、国立天文台、GXMASS、TOSHIBA、島根県、大阪府立環境農林水産総合研究所、子どもの科学のWebサイト、Gakkenキッズネット、NIKKEI STYLE ライフコラム 子どもの学び、キッコーマン、さんそうけんサイエンスタウン、東京ガス キッズ東京ガス、朝日小学生新聞、ゼットスクエア、JCASTニュース、Panasonic、大塚商会、東洋経済ONLINE、トレたび、産経WEST、環境省 なんきょくキッズ、ダ・ヴィンチニュース、サントリー、鳥取大学乾燥地研究センター、NHK高校講座、進学情報誌さぴあ、名古屋大学太陽地球環境研究所、日本化学会 近畿支部、lifehacker、RAYCOP、中外製薬、毎日小学生新聞、gooニュース、ドクターショール、アサヒドットコム、毎日新聞、はつめいキッズ、ダイキン、こおらす、東京都水道局、NHK for School、WIRED、AFP BB News、関西大学システム理工学部 機械工学科、ロボット・マイクロシステム研究室、札幌市青少年科学館、アース製薬、Club Sunstar、日本歯科医師会、朝日新聞DIGITAL、日本サウナ・スパ協会、ヨード卵 光、日本養鶏協会、日本磁気学会、日本医療機器産業連合会、東書KIDS、ソフトバンクニュース、TIME&SPACE、JIJI・COM、気象庁、東京消防庁、福井新聞ONLINE、島津製作所、とやま雪の文化、Honda Kids、ウェザーニュース、フマキラー、exciteニュース、CNNニュース、ルークス、国際ニュース、国立科学博物館、ガラス産業連合会、ヤフーニュース、時事コム、サイエンスポータル、ねとらぼ生物部、ヒューマンボディほか

青春文庫

そこを教《おし》えてほしかった 理系《りけい》の雑学《ざつがく》

2021年 4月20日 第1刷

編　者　おもしろサイエンス学会《がっかい》

発行者　小澤源太郎

責任編集　株式会社プライム涌光

発行所　株式会社青春出版社

〒162-0056 東京都新宿区若松町 12-1
電話 03-3203-2850（編集部）
03-3207-1916（営業部）
振替番号 00190-7-98602

印刷／大日本印刷
製本／ナショナル製本

ISBN 978-4-413-09776-5

万一、落丁、乱丁がありました節は、お取りかえします。

ほんとうのあなたに出逢う　青春文庫

小学生はできるのに大人は間違える日本語

話題の達人倶楽部［編］

意外と手強い！
いまさら聞けない！
頭の回転が速くなる〝言葉〟の本。

（SE-772）

「ずるい人」が周りからいなくなる本

大嶋信頼

あなたの心を支配してくるモヤモヤ・怒り・憤りたちを大人気カウンセラーがみるみる解決！　文庫だけのスペシャル解説つき。

（SE-773）

サクッと！頭がよくなる東大クイズ

東京大学クイズ研究会

東大卒クイズ王・井沢拓司氏絶賛！
日本一の思考センスに磨かれる最強クイズ100問。あなたは何問解けるか。

（SE-774）

暮らしと心の「すっきり」が続く ためない習慣

金子由紀子

「生きやすくなる」ための習慣作り術。ためない習慣が身につくとモノ・コト・心がすっきりします。【100の習慣リスト】付き。

（SE-775）